Peter Dörr

Marinas tödlicher Schatten

Marina

Durch die undichten Türritzen drang nasse Kälte herein und machte den Aufenthalt in der Friedhofskapelle noch ungemütlicher. Draußen pfiff ein furchtbarer Dezemberwind und sein Heulen übertönte von Zeit zu Zeit sogar die Stimme des Geistlichen. Lediglich drei Personen hatten in der ersten Reihe vor dem Sarg Platz genommen. Direkt dem Altar gegenüber saßen ein älterer Herr und eine verhärmt wirkende Matrone, beide Ende fünfzig. Während er nach unten in die Bank stierte, wimmerte sie leise vor sich hin.

Ganz links hockte wie ein Häufchen Unglück eine junge Frau. Von der Wirklichkeit der Zeremonie in dieser nasskalten Umgebung schien sie weit entfernt zu sein. Ohne Gefühlsregung oder Tränen zu zeigen, starrte sie angestrengt auf einen imaginären Punkt des Blumenschmucks. Zwischen ihr und den anderen beiden Trauergästen lagen einige freie Sitzplätze, so, als wollte man eine vorhandene Distanz auch optisch betonen.

Nichts entsprach der weihevollen Stunde des Abschieds. Selbst der Pastor murmelte mit einer monoton desinteressierten Stimme seinen Pflichtsermon herunter. Sein Gesichtsausdruck ließ keinen Zweifel daran, dass er diese lästige Predigt schnell hinter sich zu bringen gedachte.

Gegen Ende wurde die Rede plötzlich unterbrochen. Mit einem lauten Krach flog die Tür auf und ein Windstoß fegte durch den kalten Raum. Unwillig hob der Redner seinen Kopf. Im Eingang erschien eine verfrorene und durchnässte Gestalt mit einem Motorradhelm unter dem Arm. Gewaltsam stemmte sie sich gegen die Tür und nahm stumm im hinteren Teil Platz. Gelegentlich wischte der schlaksige junge Mann mit dem nassen Ärmel seiner Jacke verstohlen die Tränen aus dem Gesicht. Dabei schaute er misstrauisch hoch, ängstlich bemüht, seine Gefühle zu verbergen.

Eine plötzliche Stille senkte sich über die Feier, selbst der Wind schien innezuhalten. Während die Orgel aufschluchzte, erschienen Träger und schleppten den Sarg mit der erst Sechzehnjährigen und ihrem noch Ungeborenen in dem jetzt starren und toten Leib aus der Kapelle.

Ohne sich um die anderen beiden Anwesenden zu kümmern, erhob sich das ältere Ehepaar und verschwand lautlos. Nur der Bursche mit dem Helm und die junge Frau blieben sitzen und regten sich nicht.
Nach einiger Zeit stand sie auf, lief langsam mit fast tapsigen Schritten durch den Mittelgang und blieb genau vor ihm stehen.
„Frank?“
Außer einem schweigsamen Nicken zeigte er keine Reaktion.
„Ich bin Andrea, die…, die….., ihre…, Mutter“, würgte sie schließlich heraus.
„Weiß ich!“
Sie rührte sich nicht vom Fleck und schwieg, bis die Stille trotz der erneut heulenden Böen erdrückend wurde. Ohne nochmals einen Blick auf den Jungen zu werfen, ging sie schließlich weiter. Kurz vor dem Verlassen der Kapelle blieb sie stehen und zögerte.
„Frank, hättest du…, ich meine…, vielleicht sollten wir einfach ´mal einiges klären. Wenn du willst, meine Wohnung ist…“
„Ich kenne die Adresse!“
Hilfesuchend wartete sie auf eine Reaktion, aber der Angesprochene bewegte nur unschlüssig seine Hände. Verzweifelt huschte sie nach einer, wie ihr schien, endlos langen Pause durch die Pforte hinaus in den nassen, scharfen Dezemberwind.

Auf ihrem Gesicht zeigte sich kein Erstaunen, eher eine Mischung aus Freude und Überraschung, als der Junge nach dem Klingeln im Treppenhaus auftauchte.
„Komm´ rein und wärm´ dich erstmal auf, du zitterst ja vor Kälte.“
Ohne Scheu zog er im Flur seine durchnässte Jacke aus, hängte sie über einen der Bügel und spazierte zögernd in das schäbig möblierte Wohnzimmer.
„Darf ich?“ fragte er, auf einen der Sessel deutend.
„Ja, bitte, fühl´ dich wie zuhause. Soll ich uns was Heißes zu trinken machen, Kaffee, Tee?“
„Kein Kaffee, Tee!“
„Moment!“ Andrea verschwand in der Küche.
Neugierig sah er sich in der winzigen Dachgeschosswohnung um. Polstergarnitur, ein kleiner Couchtisch, Schrankwand. Mehr Platz war nicht vorhanden. Alle Möbelstücke auf
„second hand“ - Niveau nach jahrelangem Gebrauch.
An einer Seite der Dachschräge wies die gewellte Tapete hässliche Wasserflecken auf. Ein kaum wahrnehmbarer Geruch nach Alkohol schwebte in der Raumluft.
„Wird neu gestrichen, hab´ ich mir vorgenommen!“
Andrea blieb mit einem Tablett und zwei Teetassen vor dem Tisch stehen.
„Im Moment geht´s mir nicht besonders gut.“
Frank fühlte sich ertappt und winkte ab.
„Irgendwie fühle ich mich, als wäre ich schon hier gewesen. Es sieht genau so aus, wie Marina es beschrieben hat.“
„Marina“, sie seufzte und wischte sich verstohlen über die Augen, „von dir hatte sie immer eine gute Meinung. Oft hat sie von dir gesprochen, in der Kapelle habe ich dich sofort erkannt.“
„Das Ehepaar, waren das ihre Eltern, die sie ‘an Kindes statt‘ – so sagt man ja wohl - angenommen haben?“
„Ja“, bestätigte sie nickend, „seit einem halben Jahr kenne ich die beiden, genau wie meine eigene Tochter. Von mir ging der Kontakt nicht aus. Manchmal meine ich, es wäre besser gewesen,

wenn wir uns nicht gefunden hätten. Aber, na ja, Marina hat ihre Adoptiveltern bedrängt. Plötzlich entwickelte sie einen wahnsinnigen Drang, ihre leibliche Mutter zu sehen."

Andrea ging in die Küche und füllte Kekse auf einen Teller. Durch den offenen Türspalt konnte er sehen, wie sie sich aus einer Flasche etwas in ein kleines Schnapsglas füllte und in einem hastigen Zug austrank. Wortlos stellte sie die Kekse auf den Tisch.
„Noch Tee?"
„Ja, gerne."
„Diesen Eltern, sie nannte sie Vater und Mutter, wollte sie mich nicht vorstellen", sagte Frank leise und schlürfte gierig den heißen Tee.
„Marina hat immer gemeint: `Die lehnen dich ab, weil du vom Jugendhof kommst. Aber Mama will, dass ich dich mitbringe. Sie hat keine Bedenken, ihr ist es egal, wo einer herkommt.´ "
„Stimmt, nun bist du wirklich gekommen, allein." Sie deutete mit der Hand in Richtung Friedhof. „Und sie liegt irgendwo da draußen."
„Warum?" Frank hielt beide Hände vor´s Gesicht.
„Wenn ich das wüsste, von dem Kind hat sie mir erst beim letzten Besuch erzählt. Fast wie meine Situation vor 16 Jahren. Auch ich war damals verzweifelt."

„Welches Kind?" fragte er mit erstauntem Gesicht.
„Aber….., nun erzähl´ mir bloß, du wusstest nichts von ihrer Schwangerschaft."
„Marina war…..schwa…, also… , ich meine, das kann nicht sein."
„Hat sie dir das etwa verschwiegen? Üblicherweise bespricht man das doch zuerst mit dem zukünftigen Vater. Marina, meine ich, war verliebt, schwärmte von dir und hatte viel Vertrauen zu dir."
„Wieso erwartete sie ein Kind?"

„Na, das müsstest du als erster erklären können, du warst doch derjenige…..“,
Andreas Stimme war schriller geworden, ebbte dann aber plötzlich ab.
„Ach, vergiss es! Entschuldige, ich hab´s nicht so gemeint. Außerdem ändert es nichts.“
Frank war aufgesprungen: „..Kann nicht sein, das mit dem Kind!“ schrie er heiser.
„Was meinst du damit? Soll das heißen, dass Mar…, meine Tochter, noch mit weiteren ….. zusammen war?“
„Keine Ahnung, aber Marina und ich, wir haben nie richtig geb.., wir waren nie, na du weißt schon. Sie hat mich jedes Mal auf später vertröstet. Es war unmöglich, außerdem, wo sollten wir? Ihren Adoptiveltern wollte sie mich nicht vorstellen. Und im Jugendhof ging´s schon gar nicht. Außer Petting ist nichts gelaufen.“
„Frank, guck mich an, sag`, dass du lügst!“
Zwei fast noch unschuldige Augen sahen sie an, offen und ehrlich, und sie konnte nur „stimmt“ denken.
Langsam drehte sich der Raum mit den Schrägen um eine imaginäre Achse. Himmel, was hatte sie da angerichtet? Aber, hätte sie dem Mädchen die Wahrheit verschweigen sollen, als sie, einer spontanen Eingebung folgend, diesen Namen nannte?
„Ist dir, ich meine… Ihnen nicht gut???“
„Entschuldige“, murmelte sie, verunsichert und verzweifelt. Mit den eher hingehauchten Worten „Ich brauche jetzt ein kleines Trösterchen“, verschwand sie, tauchte aber schneller als erwartet wieder auf, in der Hand eine Flasche und ein kleines Glas.
„Nicht nur du!“
Frank nahm mit einer schnellen Bewegung den Becher an sich und schenkte ein.
Wie ein Verdurstender stürzte er den Inhalt in einem Zug hinunter und schüttelte sich, in seinem Mundwinkel zeigten sich zwei tiefe Falten.

„Lass das! Alkohol hat mich fast geschafft, das musst du nicht wiederholen. Du gehst jetzt, bitte!“
Keine Reaktion.
„Hast du gehört, verschwinden sollst du!“ forderte sie ihn energisch auf.
„Heute geh´ ich nicht zurück, lieber übernachte ich auf der Straße.“
„Bist du verrückt, bei dem Wetter?“
„Hunger hab´ ich auch.“
Andrea blickte in das schmale Gesicht. Es waren weiche, kindliche Züge, die Schwelle zum Jüngling erst teilweise erreicht. Fast wie bei der Tochter, auch ihre Grenze vom Mädchen zur Frau nur andeutungsweise überschritten. Zwei junge Menschen waren überraschend in ihr Leben getreten, einen davon hatte ihr der Tod schon wieder entrissen.
„Warte, ich mach´ uns was zu essen.“
Ohne zu reagieren lehnte er sich in den Sessel zurück und schloss die Augen.

So fand ihn seine unfreiwillige Gastgeberin, als sie aus der Küche kam. Schweigend aßen sie ein wenig später an dem schmalen Küchentisch.
„Warum darf ich nicht bleiben?“ fragte er übergangslos.
„Du, das geht doch nicht, wie stellst du dir das vor?“
„Wieso, was ist daran schlimm? Marina hat mich darauf vertröstet, wir dürfen bestimmt bei Mama übernachten. Hat sie gesagt, ehrlich.“
Verunsichert sah sie ihren jugendlichen Gast an. Ohne Scheu schenkte sie sich erneut ein und trank das Glas ruckartig leer.
„Auch noch einen für mich, bitte !“
„Nein!!! Du lässt die Finger davon.“
Ehe Andrea richtig begriff, grapschte er über den Tisch, füllte nach und trank. Erneut schüttelte er sich.
„Du bist ganz schön dreist, dir hat wohl keiner Benehmen beigebracht?“

„Bist du meine Mutter?“
„Im gewissen Sinne ja, falls du es genau wissen willst.“
„Ach, interessant!“
Beiden war nicht aufgefallen, dass sie sich in der Zwischenzeit so selbstverständlich duzten, als würden sie sich seit Jahren kennen. Andrea stand auf und streichelte seine Wange: „Nicht böse sein, ich hab´s nur gut gemeint. Glaube mir, Abhängigkeit ist eine furchtbare Krankheit. Sie macht dich fertig, innerlich bist du tot, hast keinen eigenen Willen mehr. Falls man das Dahinvegetieren überhaupt als Leben bezeichnen kann.“
„Mach´ weiter!“ sagte er ohne darauf einzugehen.
„Wie, weiter womit?“
„Na, mit Streicheln.“
Erschreckt und verunsichert betrachtete sie ihre Hand und zögerte einen Moment. Schließlich streckte sie den Arm erneut aus und ließ die Finger kaum wahrnehmbar und spielerisch über seine Kinnpartie gleiten. In der kleinen Küche herrschte eine unnatürliche Stille, unterbrochen nur durch das leise Ticken einer Uhr. Vor dem Fenster war die Dämmerung längst in Dunkelheit übergegangen.
„Wer war Marinas Vater?“ platzte er in diese weihevolle Atmosphäre hinein.
Wie von einem starken elektrischen Schlag getroffen, zuckte ihre Hand zurück.
„Frank!“ schrie sie, „hör´ auf mich zu quälen!“
Als könne sie der Frage damit ausweichen, schaltete sie die Beleuchtung über der Spüle an. Erschreckt darüber, was er mit seiner Bemerkung angerichtet hatte, blinzelte er in das aufflammende Neonlicht. Überraschend nahm er die Mutter seiner aus dem Leben geschiedenen Freundin zum ersten Mal mit den Augen eines Pubertierenden als Frau wahr. Ihre Züge wirkten leicht vergrämt, so, als ob sie viel durchgemacht hätte. Früher musste sie sehr attraktiv gewesen sein und war es eigentlich immer noch.
„Bitte frage in Zukunft niemals mehr nach Marinas Vater, okey?“

Ohne Erklärung nahm sie die Flasche und das Glas, aus dem sie beide schon getrunken hatten, an sich und verschwand.

Verwirrt und ratlos blieb der Heranwachsende zurück.
Irgendwo unter dem Dach hörte man ein leises Weinen. Frank erhob sich. Vom Flur aus fiel sein Blick in ein kleines Schlafzimmer. Oben über dem Nachttisch standen mehrere halbvolle Flaschen und Gläser. Andrea lag angezogen auf dem Bett und heulte.
„Aufhören!", versuchte er zu beschwichtigen, „was war denn an einer Frage nach Marinas Vater so schlimm?"
„Meine Schuld, ich hätte es nicht erzählen sollen. Sie wäre noch am Leben. Erst eben, nachdem du mir glaubhaft versichert hast, dass ihr niemals intim gewesen seid, kann ich ihre Andeutungen verstehen."
Verständnislos schüttelte er den Kopf. „Ich begreife überhaupt nichts."
„Kannst du auch nicht, du hast keine Ahnung, woher auch?"
Vorsichtig hockte er sich auf die Bettkante. „Darf ich?"
„Meinetwegen."
„Marina habe ich auch von meinem Vater erzählt, er hat meine Mutter umgebracht, als ich noch ganz klein war. Aus Eifersucht oder so was. Schlimmer kann es doch mit ihrem Vater auch nicht sein."
„Doch, es ist schlimmer, viel schlimmer."
„Glaub´ ich nicht, sie hatte keinen blassen Schimmer, wer er war."
„Doch, sie wusste es, von mir, kurz danach hat sie sich….,"
Andrea lag reglos da, schwieg betroffen und begann wieder zu weinen.
Plötzlich fasste sie einen Entschluss. Einmal musste sie die Geschichte jemanden mitteilen, auch um selbst überleben zu können.
Mit großer Willensanstrengung richtete sie sich auf und nahm neben ihm auf der Bettkante Platz. Wie er so dasaß, die Augen

forschend auf sie gerichtet, wirkte er wie eine letzte Verbindung, die zu ihrem so plötzlich wiedergefundenen Kind geblieben war. Am liebsten hätte sie ihn in den Arm genommen, geknuddelt und über sein Haar gestrichen, wie man es mit Kindern eben tut. Aber das Kindesalter hatte er beendet, auch wenn er gerade erst dabei war, erwachsen zu werden. Als ob er ihre Empfindungen gespürt hätte, kuschelte er sich ein wenig an, Mutter und Sohn, so schien es, bei einer abendlichen „Gutenachtgeschichte".

Langsam entwickelte sich dabei jedoch vor Franks innerem Auge zu seinem Entsetzen aus tausend Puzzle-Steinen eine Horrorstory. In eine Pause hinein platzte er: „Was wusste sie denn davon?"
Die Antwort klang traurig und resigniert: „So gut wie nichts. Und das, was sie erfahren hat, kam zu spät – daran ist sie zerbrochen."

Bereits während ihrer Erzählung war er dichter an sie herangerückt und zögernd schlug das Pendel um. Ein Junge, umhüllt von mütterlichen Gefühlen, der ins Bett gebracht wird, mutierte zum Jüngling mit jäh erweckten sexuellen Bedürfnissen. Eine Art erotischer Blitzschlag ließ seine Hormone aufwallen. Neben ihm saß keine Ersatzmutter mehr, sondern eine reife Frau und ihre warme sinnliche Nähe steigerte sein Verlangen in Kategorien, wie er sie vorher nie gekannt hatte.
„Lass das, Frank!"
Mit heftigem Griff schob sie seine Hand weg, die sich auf ihrem Körper verirrt hatte und sanft über die Konturen ihrer Hüfte glitt.
„Mensch, was fällt dir ein?"
Der Tadel fiel milde aus und war schon mehr eine Art Rückzugsgefecht, während sie gegen eine immer stärker werdende eigene Erregung ankämpfte.
„Hörst du jetzt endlich auf? Frank, du bist verrückt!"

Ihr Widerstand schmolz zusammen wie nasser Schnee in der hellen warmen Mittagssonne. Sie wollte sich nicht mehr wehren und auch nicht darüber nachdenken, was jetzt folgen würde.
„Du bringst mich in Teufels Küche, Junge“, flüsterte sie. Ihre Arme umklammerten, einen plötzlichen Impuls folgend, seinen schmalen Körper und sie ließ sich mit geschlossenen Augen rückwärts auf das Bett fallen.

Jugendhof Waldstedt

Das Frühstück im Jugendhof war gerade beendet, als eine verschmutzte Gestalt auf einem Moped durch das enge Einfahrtstor knatterte. Vorsichtig von Pfütze zu Pfütze springend, lief über das holprige Pflaster ein kräftiger Kerl darauf zu.
„Mensch, wo hast du denn gesteckt? Baumann hat heute Morgen ziemlich gemotzt, weil du gefehlt hast.“
„Ach, meinetwegen.“
„Nun erzähl du ´mal. Was war denn auf der Beerdigung los, wieso hat die so lange gedauert? Die ganze Nacht? Hast du Marina noch mal gesehen?“
„Nee, sie war nicht aufgebahrt, der Sarg war zu.“
„Mir ging´s gestern, nachdem du zum Friedhof gefahren bist, echt beschissen. Immer habe ich dran gedacht, dass sie jetzt in so einem engen Kasten liegt, kalt, steif und auch nie wiederkommt. Abends hab´ ich“, er sah sich um und trat dicht an Frank heran, „geheult hab ich, richtig geheult, ehrlich. Bleibt aber unter uns. Hast du eine Ahnung, wie sie an die Tabletten gekommen ist?“
„Weiß ich jetzt alles. Ihre Mutter, also Adoptivmutter, lagerte eine ganze Menge davon in der Hausapotheke. Fix und fertig sind die beiden Alten deswegen.“
„Mensch, aber warum dreht sie plötzlich durch und…..und überhaupt. Wenn sie nur zu mir rüberguckte, Scheiße, mir wurde

jedes Mal ganz anders. Frank, du bist mein Kumpel, der einzige. Marina war deine Freundin. Bei mir ist das blöd, Mädchen anzusprechen habe ich Schiss. Also, nicht dass du ´was Falsches denkst. Aber, du, hör´ zu, ich muss dir was sagen“, verlegen blickte er auf den Boden, „ich hatte mich in Marina verliebt, richtig verknallt. Bist du jetzt sauer?“
„Komm her!“ Ihre Finger krallten sich ineinander.
„Addy, ab heute sind wir gemeinsam ihre Freunde.“
Beide versuchten die Tränen vor dem jeweils anderen zu verbergen.

„Du, die Andrea, was ihre richtige Mutter ist, hat mir eine Geschichte über Marina erzählt, ich kann es nicht glauben, das schockt sich, ehrlich! Jetzt weiß ich, warum sie sich vergiftet hat.“
„Und warum?“
Frank winkte mit der Hand ab: „Nicht hier, die anderen glotzen schon rüber. Zuerst muss ich mich bei Baumann zurückmelden. Wir treffen uns heute Abend im Keller, dort erzähle ich dir alles.“
Er schluckte mehrmals, immer noch erregt und aufgewühlt.
„Nein, nein, ich kann das nicht kapieren!“
Kopfschüttelnd trottete er quer über das Pflaster zum Büro des Heimleiters.

Das alte Gutsgebäude hatte lange leer gestanden, bis es vor einigen Jahren in ein Heim für Jugendliche mit gestörtem sozialen Hintergrund umgewandelt wurde.
Durch einfache landwirtschaftliche Tätigkeiten sollten junge Menschen in die Erwachsenenwelt eingegliedert werden. Von den Heimbewohnern arbeiteten allerdings nur wenige im Jugendhof, wie die Betreuungsstelle im Allgemeinen genannt wurde. Einige nahmen Vollzeitangebote einer Berufsschule wahr, andere hatten bereits eine Lehrstelle gefunden.

Für die jungen Leute bildete diese Einrichtung Familienersatz, in dessen Schutz es sich nach verschiedenen Erfahrungen in Pflegefamilien ganz gut leben ließ. An das Wohngebäude mit den Schlaf- und Aufenthaltsräumen schloss sich rechtwinklig eine lang gestreckte ehemalige Scheune an. Hier befanden sich einige Geräte und Maschinen für Feld- und Gartenarbeiten. Als Fundament diente der alte Vorratskeller, in den früher die Kartoffeln eingelagert wurden.

Vor einigen Monaten hatte es große Aufregung gegeben, als einer der Jugendlichen spurlos verschwunden war. Schlagzeilenträchtig fand in diesem Zusammenhang eine groß angelegte polizeiliche Suchaktion statt. Durch Zufall wurde die Leiche des Achtzehnjährigen in diesem unterirdischen Gewölbe entdeckt. Als Todesursache stellte man eine starke Kopfverletzung fest. Schließlich hieß es, er sei auf der glitschigen Treppe im Dunkeln ausgerutscht und an den dabei erlittenen Verletzungen gestorben. Gerüchte und Flüsterpropaganda hörten aber auch danach nicht auf, Grund genug für alle, das unterirdische Refugium nicht mehr zu betreten. Es wurde abgeschlossen und keiner war darauf erpicht, in diese unheimliche Unterwelt einzudringen.

Nicht ganz!
Addy, Franks Freund, so tuschelte man, verschwand schon mal unauffällig nach da unten. Offenbar kannte er andere Eingänge als die verschlossene Tür. Von den Flüsterern machte sich keiner Gedanken, was er da wollte. Ernst nehmen konnte man den bärenstarken, aber geistig leicht zurückgebliebenen Fünfzehnjährigen sowieso nicht. Willig und ohne die geringste Gegenwehr ließ er sich von Gleichaltrigen herumkommandieren und beleidigen. Selbst körperliche Gewalt ertrug er mit stoischem Gleichmut und einem Fatalismus, der fast an Selbstaufgabe grenzte. Trotz seiner kräftigen Statur stand Addy auf der Stufe der Anerkennung ganz unten. Er teilte diesen Platz mit Frank, einem schmalen, schlaksigen gleichaltrigen Jungen.

Eine Zufallsbegebenheit sollte jedoch für eine Änderung der Verhältnisse sorgen.
Urplötzlich schleppte Frank ein Mädchen an, das er aus der Schule kannte. Die sechzehnjährige Marina, knabenhafte Erscheinung, langes über die Schulter reichendes Haar, schmale Taille, kleiner Busen, Brille, beeindruckte auch Addy auf Anhieb. In seiner läppischen tapsigen Art fand er keine bessere Lösung, als ständig hinter den beiden herzulaufen. Nicht, dass er sie angesprochen oder gar bedrängt hätte. Ihm schien es zu genügen, diesem zierlichen Teenager nahe zu sein. Statt wütend zu reagieren, wurde er schließlich von Frank und Marina akzeptiert und als eine Art Neutrum in ihre Gemeinschaft aufgenommen. Frank und Addy bildeten so einen kumpelhaften Verbund, auch wenn die Freundin gerade nicht anwesend war. Vorsorglich erschien Frank in ihrer Begleitung ohnehin nur, wenn die meisten der größeren Jungen sich außerhalb des Hauses aufhielten. Keiner wusste besser als er, was passieren könnte, sollten die in der Heimgruppe tonangebenden Kerle ihn mit einer Freundin erwischen. Er ahnte, dass sie Marina obszön anmachen und ihn gnadenlos vorführen würden. Welche Möglichkeiten hätte er dagegen anzugehen und sie zu schützen?

Seine Ahnungen sollten sich schnell bewahrheiten.
Regelmäßig, an jedem Mittwoch, fand normalerweise ein speziell organisiertes Fußballtraining statt. Frank, Addy und zwei weitere Jungen nahmen nicht daran teil und genossen die nachmittägliche Ruhe mit Marina.

Wegen Baumaßnahmen auf dem Platz fielen die Trainingsstunden diesmal aus. Nach und nach trudelten auf ihren Fahrrädern die sportbegeisterten Fußballer wieder im Jugendhof ein. Zwar versuchte Frank mit Marina unauffällig durch das Tor zu verschwinden, aber Erik, der Anführer der Gruppe, hatte sie entdeckt und schnitt ihnen den Weg ab.

„Was läuft denn da Flottes durch die Gegend? Bist du etwa die Tunte von diesem Weichei?“
Verächtlich zeigte er auf Frank, packte Marinas Haar und ließ es spielerisch durch die Finger gleiten.
„Lass sie doch in Ruhe!“
Es war eher eine flehentliche Bitte als ein durchsetzungsfähiger Befehl.
„Ach, der Kleine wird endlich mutig, ich zitter´ vor Angst.“
Marina wich mit angstverzerrtem Gesicht aus, bis sie mit dem Rücken an der Scheunenwand stand. Erik baute sich dicht vor ihr auf, während zwei seiner Freunde Frank festhielten. Addy, der in der Nähe war, stierte mit weit aufgerissenem Mund auf die Szene, so, als könne er nicht begreifen, was sich da vor seinen Augen abspielte. Von den Zuschauern, die sich, wie stets bei solchen Anlässen, plötzlich eingefunden hatten und um den Schauplatz gruppierten, wurde das Spektakel johlend begleitet. In diesem Augenblick erfolgte in der Miene des sonst zu keiner Reaktion fähigen Fünfzehnjährigen eine Veränderung. Entschlossen schob er zwei der gaffenden Krakeeler zur Seite und packte Eriks Hand, die gerade über Marinas Hüfte fuhr. Mit einem Ruck drehte er den Arm so schnell zurück, dass der vor Schmerz aufschrie. Ohne Vorwarnung krachte mit einer Brutalität, die man dem sonst unauffälligen Jungen nie zugetraut hätte, seine Faust in Eriks Unterleib. Nach Luft japsend ging der Getroffene zu Boden. Aus seinem geöffneten Mund drangen undefinierbare gurgelnde Laute. Addy stellte sich über ihn, hob seinen Kopf hoch und schlug ihn auf die Erde.
Eriks Helfer, völlig überrascht, ließen Frank los und stürzten sich auf Addy, nicht mit Verteidigung rechnend. Aber dieses große unbeholfene Kind, das man als Trottel immer lächerlich machen konnte, wehrte sich. Nach einem weiteren Faustschlag auf die Nase eines der Angreifer flüchteten sie, nicht ohne vorher ihren Anführer, der noch immer nach Luft rang, hochzuziehen und mitzuschleifen. Schnell und leicht enttäuscht zerstreute sich der Rest der sensationslüsternen Meute.

Frank und Addy wurden von da an von der Gemeinschaft der Halbwüchsigen gemieden und bildeten ihre eigene kleine Zelle. Man nahm sie kaum noch zur Kenntnis. Aber auch die größeren Burschen trauten sich seit dieser Prügelei nicht, ihnen auch nur ein Haar zu krümmen. Addy verbreitete seit diesem Vorfall Angst und Bewunderung gleichermaßen. Die Zuschauer hatten mit Erschrecken vernommen, wie er im Augenblick des Angriffs auf Erik wutentbrannt „Sven“ herausschrie – den Namen des achtzehnjährigen Heimzöglings, der vor einigen Monaten mit einer riesigen Kopfwunde tot im Kartoffelkeller gefunden wurde.

Lange vor dem Zwischenfall mit Marina spürte das Freundespaar den Raum unter der Scheune auf. An diesem modrigen Ort konnten sie sich gefahrlos treffen, ohne von anderen belauscht oder belästigt zu werden. Hinter der Rückwand führten zwei eng gemauerte Entlüftungsschächte nach unten. Oben, wo alles mit Holunderbüschen und Brennnesseln zugewachsen war, lagen schwere Eisengitter auf. Eine alte klapprige Holzleiter half ihnen, problemlos durch den Schacht zu steigen. Ohne dass es einer der Zöglinge bemerkte, schmuggelten sie zwei Schlafsäcke als Sitzgelegenheiten und Taschenlampen hinunter. Ihre Treffen folgten keinen festen Zeitplänen und bildeten eine Art Gegenpol zur Realität ihres Ersatzheimes und den nicht immer einfachen Mitbewohnern.

Im Anschluss an das Abendessen begann im Jugendhof heute wieder die übliche Routine. Für die einen hieß das Geschirr- und Tischdienst, andere hockten sich vor den Fernseher im Gemeinschaftsraum, spielten im Hobbyraum Tischfußball, Billard oder beschäftigten sich anderweitig.
Ohne Aufsehen zu erregen, konnten die beiden Ausgegrenzten in ihre Fluchtburg hinuntersteigen. Diese feuchten Gewölbe riefen bei Frank fast immer leichte Angstgefühle hervor. Hilfesuchend packte er Addys Arm. Furcht schien sein Begleiter nicht zu

kennen, zielsicher trottete er durch die Dunkelheit zu ihren Sitzen aus Schlafsäcken. Addy hatte nach dem Tod des Siebzehnjährigen Sven hier unten auf Verlegung des Lagers bestanden, ohne jegliche Erklärung. Frank versuchte, das in ihm gelegentlich aufkeimende beklemmende Gefühl gegenüber seinem Freund zu unterdrücken.
„Los, Mensch, jetzt erzähl ´mal."
Sie lagen halb ausgestreckt auf den eingerollten Kissen, eine der Taschenlampen warf einen schwachen Lichtstrahl in die Dunkelheit.

„In der Friedhofshalle saßen nur Marinas Mutter, die Adoptiveltern und ich."
„Und du konntest sie wirklich nicht sehen, wenigstens einmal zum Abschied?"
„Wie denn? Kaum war der Pastor mit seinem Gelaber fertig, schleppten vier Mann Marina....", Frank schniefte und schluchzte leise, „also den Sarg trugen sie weg." Stille setzte ein und man hörte weit entfernt ganz leise Wasser tropfen.
„Was wird sie wohl anhaben, im Sarg?"
„Weiß ich nicht, Tote werden doch nackt beerdigt, oder?"
„Marina nackt? Nein! Bestimmt hat sie wenigstens ein Kleid an."
„Ihre Augen, sind die offen oder geschlossen, was meinst du? Hat sie vielleicht ihre Brille auf?"
„Keine Ahnung, Mensch, woher soll ich denn das alles wissen?"
„Wenn die Brille nicht mit da unten im Sarg liegt, also, wo ist die dann?
Kannst du nicht bei den Adoptiveltern mal nachfragen und was von ihr besorgen, als Erinnerung oder so?"
„Ihre Alten kennen mich nicht, wie soll ich da an Sachen kommen?"
„Na ja, ich meine, probiers´ doch einfach."
„Ach, vergiss´ es, das geht nicht."
Eine lange Pause entstand.

„Du“, Addy zögerte, „ob sich Mar…., drehen kann, in der engen Holzkiste?“
„Quatsch, nach kurzer Zeit sind Tote ganz steif.“
„Auch Marina?“
„Wieso nicht?“
„Ich mag nicht daran denken. Obwohl es deine Freundin war, wenn sie mich sah, hat sie immer gelächelt und jetzt, unter der Erde, im Dunkeln? Warum hat sie bloß durchgedreht?“
Fast übergangslos drangen eigentümliche Geräusche in die Stille ihrer Umgebung. Es dauerte, bis sie begriffen, was keiner vor dem anderen zugeben wollte – sie heulten.

Addy hatte sich wohl als erster wieder gefasst, denn Frank spürte irgendwann eine kräftige Hand, die sich sanft auf seine Schulter legte und an dieser Stelle ruhig verharrte.
„Aber, wieso bist denn erst heute Morgen gekommen? Weg warst du, die ganze Nacht. Wo bist du denn bloß gewesen?“
„Ja, also danach, ja danach…, ich bin zu ihrer Mutter gefahren.“
„So lange?“
„Wieso? Andrea hat Abendbrot gemacht für uns und na ja…“
„Andrea?“
„So heißt doch ihre richtige Mutter, die sie geboren hat. Ihre Adoptiveltern, also, wo sie aufgewachsen ist, die kenne ich nicht.“
„Und And…, ihre Mutter hat dich übernachten lassen?“
„Ach, der geht´s wirklich nicht gut. Weißt du, die braucht immer einen Schnaps, ich meine, die hat Wodka geschluckt. Ein blödes Zeug, mir ist fast schlecht geworden davon.“
„Hat die denn eine Ahnung, warum …..?“
„Hat sie, das weiß sie aber auch erst, nachdem ich einiges über Marina und mich erzählt habe. Fast zusammengebrochen ist die, ich konnte doch nicht ahnen, was ich mit meinem Gerede angerichtet hab´.“
„Mann, du kennst den Grund, weswegen Marina…?“
„Also pass auf, vor sechzehn Jahren ist etwas Furchtbares passiert!“

Während sie, durch eine schweigende Dunkelheit eingehüllt, auf ihren Schlafsäcken hockten, berichtete Frank von dem schauerlichen Geheimnis, das Andrea, Marinas leibliche Mutter, in der vergangenen Nacht nicht mehr für sich hatte behalten wollen. Danach herrschte nur noch Verzweiflung und Düsternis in dem Verlies unter dem Jugendhof.

Addy lag nach diesem Gespräch in der Nacht lange wach. Unruhig und innerlich erregt wälzte er sich im Bett hin und her. Gedanken an seine eigene Mutter gingen ihm durch den Kopf. Wie die wohl ausgesehen hatte? Lediglich ein paar unklare Abbildungen an eine reglos auf dem Boden liegende Person waren in seiner Erinnerung gespeichert. Dunkel tauchten in seiner Vorstellungswelt schemenhafte Bilder auf:
Ein Kind streunt neben der am Boden liegenden Mutter durch die Küche auf der Suche nach etwas Essbaren. Viel Zeit vergeht, dann laufen Männer in komischen Anzügen durch die Wohnung. Eine freundliche Frau erfasst seine Hand und bringt ihn weg. Die Eindrücke werden jetzt deutlicher und bildhafter. Aus dem Dunst der Erinnerung erscheint eine Art Familie mit mehreren anderen Kindern, in der er sich längere Zeit befindet. Mit geschlossenen Augen denkt er an eine Horrorszene, die sich deutlich in sein Gedächtnis eingebrannt hat. Ein erregter betrunkener Mann prügelt so lange auf seine fürchterlich kreischende Partnerin ein, bis sie blutend am Boden liegen bleibt. Mit den anderen Kindern flüchtet er aus der Wohnung.

Wieder war es eine nette ältere Dame, die ihn in einem Auto abtransportierte, diesmal in ein Jugendheim, wo sich freundliche Erzieher um ihn kümmerten. Irgendwann landete er im Jugendhof Waldstedt. Hier lernte er Frank kennen, einen fast gleichaltrigen Jungen. Eines Tages schleppte dieser Frank ein Mädchen an, Marina. Addy wurde von Mädchen oft wegen seiner unbeholfenen Art verspottet. Nicht aber von Marina. Es war das erste Mal in seinem Leben, dass ihn ein weibliches Wesen

anlächelte, streichelte und sogar ein Küsschen auf die Wange gab. Sie war Franks Freundin und er wusste nicht recht, was in seinem Inneren vorging - er hatte sich hoffnungslos und unsterblich in sie verliebt. Als er von ihrem Tod erfuhr, durchdrang ihn ein Gefühl, als sei er selbst von dieser Welt verschwunden. Seit gestern Abend wusste er von Frank, warum sie sich in totaler Verzweiflung durch Tabletten vergiftet hatte.
Nach einem kurzen bleiernen Schlaf wurde er früh wieder wach. Frank, mit dem er ein Doppelzimmer teilte, schnarchte vor sich hin. Gegen sechs Uhr früh dröhnte das Geräusch von klappernden Tellern aus dem Speisesaal herauf. Der Tischdienst war schon aktiv. Allen übrigen blieben noch fünfzehn Minuten Zeit bis zum Wecken. In dieser Viertelstunde schmiedete Addy einen entsetzlichen Plan.

WAKE GmbH

„Wo bleibst du denn mit dem Vorgang?"
Walter Keil, Chef und Alleininhaber der Firma Wake GmbH, rastete förmlich aus. „Du weißt besser als ich, was gerade von diesem Auftrag abhängt." Wütend haute er mit der Faust auf die Schreibtischplatte.
„Wie konnten diese Scheißventile rausgehen! Bin ich denn von Idioten umgeben? Wenn Wolfsburg uns diesen Auftrag streicht, können wir vierzig Prozent der Produktion stilllegen."

Heike Blanken, engste Mitarbeiterin und Nummer zwei im Unternehmen, schüttelte verdrießlich den Kopf. An gewissen Tagen drehte der Boss regelrecht durch. Seine Nerven schienen in letzter Zeit nicht mehr die besten zu sein. Diese verfluchten Weibergeschichten, wenn er endlich mal zur Vernunft käme! Durch seine blöden Affären würde er noch die ganze Firma ruinieren.
„Männer", dachte sie verächtlich.

Seit vielen Jahren schuftete sie für diesen Betrieb.
„Meine Frau der ersten Stunde", so nannte er sie manchmal wohlwollend.

Auf seine Zeitungsanzeige „Kaufmännisch versierte Kraft für Büroarbeiten gesucht" hatte sie sich einst beworben. Walter Keil wagte damals den Sprung in die Selbstständigkeit und brauchte Unterstützung. Als sie sich mit ihren gerade mal zwanzig Jahren vorstellte, warf er als erstes einen Blick auf ihr Gesicht und musterte dann ihre schlanke Figur. Ohne weiteren Kommentar schob er ihr einen Arbeitsvertrag zu. Gemeinsam begannen sie bei Null.

Ihr neuer Vorgesetzter präsentierte sich als stolzer Besitzer zweier ersteigerter Werkzeugmaschinen. Kleinteile für die Automobilindustrie sollten die Kasse füllen. Völlig unerwartet stapelte sich kurz nach Geschäftseröffnung eine Vielzahl von Aufträgen in den Ordnern. Noch schneller fanden sie privat zueinander. Bereits eine Woche nach ihrer Unterschrift bewohnten sie gemeinsam ein kleines Appartement. Tagsüber versuchte sie im Büro das Durcheinander zu organisieren, abends den nicht weniger chaotischen Junggesellenhaushalt. Gemeinsam entschieden sie sich für einen Namen: WAKE GmbH für Walter Keil. Was von Anfang an auffiel, obwohl sie es nicht wahrhaben wollte: Ihr neuer Lebenspartner entwickelte einen ungebrochenen Drang zu erotischen Abenteuern. „Bin noch geschäftlich unterwegs", mit diesem Hinweis verschwand er gelegentlich ins Unbekannte. Andererseits wurde er nicht müde, von einem gemeinsamen Lebensweg zu philosophieren. Auch bei Heike Blanken starb die Hoffnung zuletzt.
Ein gewaltiger Pluspunkt, in der neu gegründeten Firma konnte sie ihr Organisationstalent voll entfalten. Außerdem verfügte sie, zusätzlich zu ihrer kaufmännischen Ausbildung, über eine gute Portion logisches Denkvermögen und war in der Lage, blitzschnell Problemlösungen zu erarbeiten- Eigenschaften, die

ihrem neuen Chef nicht verborgen blieben. Schon bald traf sie in dem noch kleinen Betrieb viele wichtige geschäftliche Entscheidungen selbstständig.

In dieser Anfangsphase wanderten ihre Gedanken häufiger weit in die Zukunft: Teilhaberschaft am gemeinsam aufgebauten Unternehmen, aber auch eine Ehe mit Walter, Kinder und Familie bildeten die Basis ihrer geheimen Hoffnungen. Schneller als erwartet expandierte das Gewerbe. Es mussten Mitarbeiter eingestellt werden und mit jeder Neueinstellung baute sich der Glaube an ihre Zukunftsplanung Stück für Stück ab. Walter wurde von sexuellen Trieben gesteuert, die er nicht unter Kontrolle hatte, wie er ihr gegenüber gelegentlich freimütig grinsend zugab. Weibliche Neuzugänge, besonders die jungen Auszubildenden, erweckten bei ihm eine Begierde, gegen die er einfach nicht ankämpfen konnte und, wie sie manchmal richtig vermutete, sich auch nicht bemühte - ohne Rücksicht auf ihre Partnerschaft.

Heike wollte die Auseinandersetzungen nicht mehr zählen, zu denen es immer häufiger kam. Nach jedem Streit brachte sie ihr Vorgesetzter und Lebenspartner in einer Person mit Treueschwüren wieder zurück in den alten Trott. Eines Tages musste sie sich eingestehen, dass ihr für ein Loslassen und einen Neuanfang die Kraft fehlte.

Erst viele Jahre später dämmerte ihr eine Erkenntnis: Walter hatte sie als Objekt zur Triebabfuhr und als hochwertige und immer einsatzbereite Arbeitskraft missbraucht. Sein Ziel war von Anfang an der Aufstieg in „bessere Kreise" gewesen, in eine Sozialschicht mit höherem Prestige.

Spontan und ohne sie zu informieren heiratete er die Tochter eines mittelständischen Unternehmers. Der Schwiegervater gebot über ein bescheidenes „Imperium" von vier Kfz - Betrieben und einer Kette von mehreren Kiesgruben mit Gerätschaften und

Fuhrpark. Nicht unbedingt das ganz große, aber wenigstens das mittlere Geld war vorhanden. Was konnte sie dem entgegensetzen?
„ Zeit für eine Umorientierung“, resümierte sie verbittert. Doch sie blieb, trotz Enttäuschung und Gesichtsverlust. Ihre Entscheidung wurde durch einen goldenen Handschlag erleichtert. Neben regelmäßigen Bonuszahlungen strich sie ein Gehalt ein, von dem andere Beschäftigte in ähnlichen Positionen nur träumen konnten.

Seine Gehilfin aus den Anfangsjahren war in der Zwischenzeit für die Firma kaum zu ersetzen. Kenntnisse der Interna, gepaart mit scharfem Sachverstand, bildeten eine Art Pfund, mit dem sie wuchern konnte. Selten traf der autoritäre Chef eine Entscheidung, ohne sich mit ihr zu beraten.
„Die Blanken steuert unsere Firma“, raunten Betriebsangehörige hinter vorgehaltener Hand, wenn ihr gefürchteter Boss wegen seiner amourösen Kapriolen wieder einmal anderweitig beschäftigt war. Eines ihrer intimsten und wichtigsten Geheimnisse ahnte keiner. Gegenüber seiner Frau, jetzt in genau jener Position, die seine wichtigste Mitarbeiterin für sich selbst vorgesehen hatte, schottete sie ihn ab. Ohne ihre Unterstützung aus dem Hintergrund wären seine zahlreichen erotischen Abenteuer nicht möglich gewesen – die unklare Rache einer gedemütigten Frau?

Wenn sie die Vergangenheit Revue passieren ließ, hatte sie ihre besten Jahre mit Vierzehnstundentagen im Unternehmen ausgefüllt. Eine andere Rolle, als Mutter in einer Familie, war ihr leider versagt geblieben. Daran litt sie in letzter Zeit besonders. Abends, nach turbulenten Stunden mit erforderlichen Blitzentscheidungen und Stresssituationen, überkam sie in ihrem luxuriösen Heim oft das heulende Elend. Mehr aus Verzweiflung flüchtete sie sich in eine Affäre. Zwar wurde durch oberflächliche Abenteuer mit einem Mann ihre Einsamkeit vorübergehend verdrängt, aber Ersatz für Kinder, die früher in ihren privaten Zukunftsträumen einen festen Platz einnahmen, waren Amouren dieser Kategorie nicht. Harte Anforderungen aus dem Tagesgeschäft fegten solche Anfälle von Melancholie regelmäßig brutal zur Seite. Ihre äußere Schale, Autorität in der Geschäftsführung, funktionierte reibungslos. Lediglich der innere Kern mit Wünschen und unerfüllten Träumen nagte tief in ihrem Bewusstsein als gestörte Erlebnisverarbeitung.

Neben dem Büro des Chefs befand sich ein Raum, der beim Betreten dem Betrachter einen eher unscheinbaren Eindruck vermittelte. Schmucklose Wände, graue Auslegeware am Boden, im hinteren Teil eine riesige bis nach unten durchgezogene Verglasung. Dort ragte wuchtig ein Schreibtisch auf und dahinter ein pompöser leicht überhöhter Sessel, der dem darin Sitzenden automatisch Macht und Würde verlieh. Einfache schlichte Stühle, demonstrativ mit einem gewissen Abstand davor aufgebaut, erzeugten eine gegenteilige Wirkung. Wer darin Platz nahm, dem wurde seine Nichtigkeit und Bedeutungslosigkeit schon optisch vorgeführt.
Nur eine kleine Sitzgruppe, seitlich davon, schien die Funktionalität des Raumes zu stören.

Diesen Bereich im Verwaltungsgebäude betrat kein Mitarbeiter der WAKE GmbH freiwillig. Berufskarrieren und damit Familienschicksale wurden vor diesem Schreibtisch erhalten oder zerstört. Einladungen in den „Besprechungsraum" glichen einem Bußgang nach Canossa, folgerichtig hatte sich für den Flur davor der Begriff „Seufzerbrücke" eingebürgert.

An einem grauen und nebligen Dezemberabend saßen drei Ingenieure auf den Stühlen vor dem Macht - und Monsterschreibtisch. Es herrschte eine erdrückende Stille. Seit zehn Minuten warteten sie ängstlich und nervös auf das Erscheinen ihres „Bosses", vor dem selbst erfahrene Meister noch zitterten. Seitlich, in der Sitzgruppe, hockte verschüchtert ein etwa sechzehnjähriges Mädchen, Auszubildende im zweiten Lehrjahr. „Information über Betriebsabläufe“ hießen die Einladungen, durch die junge Azubis weiblichen Geschlechts zu diesen Besprechungen eingeladen wurden. Gründe dafür waren bekannt.

Für die drei Ingenieure ging es heute Abend um mehr. Eine Pannenserie bei Magnetventilen, für deren Qualität sie verantwortlich zeichneten, zwang sie an diesen Angst und Schrecken einflößenden Ort. Obwohl sonst gut befreundet, dachte im Augenblick jeder daran, wie er seinen Kopf aus der Schlinge ziehen könnte. Notfalls müsste man eben die Kollegen belasten.
Grußlos erschien plötzlich der „Allgewaltige“ im Raum. Drei Fachleute sprangen auf und standen quasi stramm. Auch das junge Mädchen hatte sich erhoben.
„Du nicht, Sandra“, winkte er ab.
Ohne die Sündenböcke zum Setzen aufzufordern, begann Walter Keil Anklagepunkte aufzuzählen. Seine Stimme, erst langsam und leise, dann immer lauter werdend, überschlug sich zum Schluss.
„Fachleute wollen Sie sein?“ brüllte er in den Raum, wobei die Zornesadern auf seiner Stirn bedrohlich anschwollen, „wo haben Sie Ihren technischen Verstand gelassen, als Sie die Ventilserie zum Kunden durchgehen ließen? Wenn dieser Auftraggeber abspringt, sind die Folgen für die Arbeitsplätze in meinem Betrieb noch gar nicht zu übersehen. Ingenieure wie Sie sollten denken können, t e c h n i s c h denken! Ihre Gehälter als Spezialisten rechtfertigen solche Fehler nicht.“ Der schneidende Ton verbreitete eine frostige Atmosphäre.
„Versager!!!“ setzte er mit einem strafenden Blick von oben herab nach. Erschöpft ließ sich der erregte Mann in seinen „Autoritätsstuhl“ zurückfallen.

Drei Personen vor dem Schreibtisch stierten beschämt und ihrer Würde beraubt auf den Boden. Widerspruch oder Verteidigung wagte keiner.
In der seitlichen Sitzgruppe nahm die junge Auszubildende mit weit aufgerissenen Augen schockiert die widerliche Zeremonie wahr.
Minutenlang herrschte eine spannungsgeladene und bedrückende Ruhe.
Überraschend stand der Chef auf.
„Wenn ich morgen früh im Büro erscheine, erwarte ich Vollzugsmeldung. Von mir wird nur ein einziger Satz akzeptiert: `Der Fehler ist behoben!´ Sie haben die ganze Nacht Zeit. Raus!“
Drei verschwitzte gedemütigte Männer mit hochroten Köpfen verließen fast fluchtartig das Büro.

„Sandra“, Keil hatte seinen ’Hochsitz‘ verlassen und kam auf das Mädchen zu. Seine Stimmlage, eben noch unbeherrscht und schrill, glitt ab in ein sanftes Säuseln: „Ich überprüfe kurz die Werkstätten. Du wartest bitte hier, dann fahren wir gemeinsam zum Abendessen.“

Unangemeldete Prüfungen der Produktionsanlagen waren ebenso gefürchtet wie der „Bußgang nach Canossa“ zu dem Informationsraum in der Chefetage. Überraschend abends, wenn keiner der Beschäftigten mit seinem Erscheinen rechnete, schlich der „Alte“ gelegentlich durch die Hallen. Wehe, wenn er eine in diesem Bereich beschäftigte Person bei Tätigkeiten erwischte, die mit seinem direkten Aufgabenfeld nicht in Einklang zu bringen waren.

Heute Abend bewegte sich seine Stimmungslage eher im Bereich „gehoben jovial“. Sandra, die geduldig auf ihn wartete, trug sicher viel zu dieser Euphorie bei. Ohne sich extra etwas überzuziehen, verließ er sein hell erleuchtetes Büro. Mit federnden Schritten marschierte er an dem speziell für ihn reservierten Parkplatz mit

dem Schild „Direktor Keil“ vorbei in Richtung der mechanischen Werkstätten. Auf dem Weg dorthin fiel ihm eine große kräftige Gestalt auf, die scheinbar beschäftigungslos herumlungerte.
Darauf hatte er gewartet. Genau das Richtige für ihn!
„Haben Sie keine weiteren Aufgaben als hier faul herumzustehen?“ fauchte er die dunkle Figur wütend an. „Welche Abteilung???“ Keine Antwort.
„Name des zuständigen Vorgesetzten???“
Ohne sich zu rühren oder etwas zu sagen, stand der Mann still und stumm wie ein Denkmal vor ihm.
„He, ich habe eine Frage gestellt. Können Sie nicht reden, verdammt noch mal.“
Langsam und scheinbar ohne Hast zog sich der Unbekannte zurück, ehe er mit einem Sprung in den Büschen verschwand.
„Warte Bursche, dich krieg´ ich noch.“
Gleich konnte er die Meister der Spätschicht vernehmen. Einer von denen würde den Namen ausspucken. Dafür hatten die viel zu viel Angst um ihren Arbeitsplatz.
Leicht gereizt öffnete er eine kleine Seitentür. Summende und vibrierende Geräusche versetzten ihn jedes Mal in eine Art Hochstimmung. Seine Firma, sein Lebenswerk, seine Leistung, dachte er stolz. Dafür hatte er mit Heike Blanken jahrelang geschuftet.

Wegen der unangemeldeten Besuche des Direktors wurde im Wirkungsbereich der Betriebsräume eine Art Warnsystem installiert. Arbeiter an den vorderen Maschinen sollten dezent Zeichen geben. Heute allerdings versagte die Kette. Weil die kritische Inspektionszeit überschritten war, saßen ausgerechnet die zwei zuständigen Mechaniker sorglos rauchend hinter der Werkbank. Keil erwischte sie in flagranti und stauchte den verantwortlichen Vorarbeiter fürchterlich zusammen. Im Befehlston ließ er die zuständigen Meister antreten. Vergeblich versuchte er den Namen der Person zu erfahren, die draußen herumlungerte und vor ihm geflüchtet war. Ohne Resultat!

Angeblich hatte keiner der Beschäftigten seinen Arbeitsplatz verlassen. Völlig unmöglich! Hier war etwas faul.

In mieser Laune wanderte er zurück Richtung Verwaltung und nur das geplante Abendessen mit Sandra besänftigte ihn wieder. Auf halbem Wege, genau da, wo die Laternen den Gehweg nur schwach ausleuchteten, tauchte urplötzlich wie aus dem Boden gewachsen die dunkle unbekannte Gestalt erneut auf.
„Aha, jetzt hab´ ich dich endlich."
Keil lief schräg darauf zu, um den Rückweg abzuschneiden. Der Gesuchte dachte nicht an Flucht. Im Gegenteil, in kleinen Schritten kam er näher.
Eine Anorakkapuze ließ die Konturen seines Kopfes nur erahnen. Sein Mund wurde durch eine Art Schal verhüllt.
Keil baute sich wichtigtuerisch vor ihm auf.
„Sie sind gefeuert! Wissen Sie eigentlich, wer ich bin?"
Wem immer er eine solche Frage stellte, dem so Angesprochenen stand normalerweise die Furcht im Gesicht geschrieben. Bisher hatte noch jeder devot Haltung angenommen und erschrocken geantwortet.
Bei diesem verhüllten Typ versagte seine Angstmasche.
Statt einer Antwort drehte der Unbekannte plötzlich mit einem brutalen Schwenk dem völlig überraschten Firmenchef den Arm auf den Rücken. Keil, autoritärer Boss, vor dem mehr als zweihundert Arbeiter und Angestellte zitterten, wenn er nur eine Augenbraue hob, würgte plötzlich ein jäh aufkommendes Panikgefühl.
„Ehh!" keuchte er mit schreckgeweiteten Augen, „machen Sie keinen….´auuu!´ Bödsinn! Gehen Sie… zurück an Ihren…Ar….. Arbeitsplatz und ich verge….sse die Sache."
Keine Reaktion.
Im Schwitzkasten seines Gegners verlieh ihm die Todesangst Riesenkräfte. Vergeblich bemühte er sich jedoch, den eisernen Griff zu lockern. Pranken wie Schraubstöcke drehten seinen Arm weiter nach oben, bis er vor Schmerzen aufschrie. Ruckartig

wurde er losgelassen und im selben Augenblick traf ihn ein betonharter Schlag im Gesicht. Stöhnend und taumelnd brach Keil auf den Platten des Gehweges zusammen. Fast reglos stellte sich der Peiniger breitbeinig über den am Boden Liegenden. Ohne Gefühl, so, als ob er mal eben eine schwere Gehwegplatte liften wollte, hob er den Kopf seines Opfers an. Dann schlug er ihn mit voller Wucht auf die scharfe Kante des Begrenzungssteins. Aus einem breiten Riss im Schläfenbereich sickerte Blut in den Rinnstein.

Mitternacht war bereits vorüber, als sie den Fehler endlich fanden. Falsche Angaben für ein Spaltmaß hatten dafür gesorgt, dass sich der Ventilkegel nicht vollständig schließen ließ. Ab morgen früh würden einwandfrei funktionierende Teile zum Kunden geliefert werden. Erschöpft saßen die drei Ingenieure noch an dem kleinen Tisch und schenkten sich Kaffee ein. Nur mühsam konnten sie ihr Gähnen unterdrücken.
„Sauerei, was der Alte heute mit uns gemacht hat, und das vor dieser Auszubildenden. Wie hieß die noch?“
„Sandra, ich kenne ihre Eltern, war ´ne peinliche Vorstellung für mich. Warum muss er uns vor diesem jungen Mädel so vorführen?“
„War nich´ das erste Mal, frag doch andere Kollegen. Wenn er Leute runterputzt, hockt gelegentlich so ein junges Ding in der Sitzgruppe.“
„Und warum?“
„Warum, warum? Ist das denn so schwer zu begreifen? Es wissen doch alle, was dieser aufgeblasene Gockel anschließend mit denen vorhat. Der alte Bock will vorher noch einmal so richtig seine Macht rauskehren.“
„Halt die Klappe und denk an Günther.“
Ihr Kollege Günther Millert war vor nicht allzu langer Zeit entlassen worden. Wegen seiner vorlauten Anzüglichkeiten über die sexuellen Vorlieben des Chefs für junge Damen stand er heute wieder in der Schlange vor dem Arbeitsamt.

Übermüdet räumten sie das Geschirr ab und ordneten die verbliebenen Papiere auf den Schreibtischen.
Beim Verlassen des Gebäudes fielen ihnen helle Rechtecke im zweiten Stock auf. Alle Fenster des Chefbüros waren erleuchtet.
„Ob Keil wohl da oben mit diesem jungen Hüpfer zugange ist?"
„Psst! Hältst du endlich den Mund, denk´an ...."
„Ja, ja, is´ schon o.k."
Schweigend liefen sie am reservierten Parkplatz ihres Chefs vorbei. Sein für eine sechsstellige Kaufsumme erworbener Luxusschlitten eines schwäbischen Autoherstellers stand etwas schräg eingeparkt im Halbdunkel.

Wie konnten sie auch ahnen, dass der gefürchtete „Allmächtige" nur wenige Meter daneben lag und an einer riesigen klaffenden Kopfwunde langsam verblutete.

Ermittlungs- Präventionsgruppe EP 8

Eduard Vox, Polizist im Kommissariat Nehberg, musste aus dienstlichen Gründen für einen Monat aus der polizeilichen Präventionsgruppe EP 8 entfernt werden. Eine Serie von Einbrüchen hatte schnelles Eingreifen erfordert. Immerhin, zwei Täter konnten ermittelt werden, einer war noch flüchtig. Leichte Polizeiarbeit, verglichen mit den Aufgaben, die ihre Ermittlungsgruppe vor nicht allzu langer Zeit zu lösen hatte. Überraschend verschwanden damals in dem ruhigen Städtchen Nehberg mehrere Personen. Ihr eilig zusammengestelltes Team unter Leitung des Polizeipsychologen Dr. Schubert entdeckte die Leichen der Verschwundenen in einem Atombunker aus der Zeit des Kalten Krieges. Nehberg geriet durch den Fall „Schulkatakombe" bundesweit in die Schlagzeilen.
Außerdem bekam Vox, der nach dem Tod seiner Frau jahrelang eine Art verbiesterter Überzeugungssingle wurde, durch die

Zusammenarbeit mit seinem Teamleiter Familienanschluss. Dr. Schubert,homosexuell, wohnte mit seinem Lebensgefährten Manuel Lüdders zusammen. Diese stabile gleichgeschlechtliche Beziehung wurde für Vox zu einer Art Ersatzverwandtschaft. Homosexualität hatte er so lange für eine Perversität gehalten, bis er eine solche Partnerschaft in der Realität erlebte.
Resigniert und erschöpft wie er damals war, keimte durch die Einbindung in die Schicksalsgemeinschaft neuer Lebensmut. Heute ging Vox wieder aufrecht und wach durch sein Leben. Unendlich dankbar war er den beiden dafür.

An diesem verregneten Morgen erschien Vox völlig durchnässt zum Dienst. Zwei Beamte in der Wache grienten, als er sich aus seinen tropfenden Sachen schälte und Vox funkelte wütend zurück.
„Regen hat der Wetterbericht schon vor drei Tagen vorausgesagt."
„Ruhe, ihr Grünschnäbel", belferte der Verspottete eher gutmütig und legte die feuchte Tüte mit den eingekauften Brötchen für das Frühstück auf den Tresen.
„Detjen hat eben angerufen, wir sollen Sie sofort hochschicken, dringend!"

Günther Detjen, Leiter des Kommissariats Nehberg, residierte im ersten Stock des Polizeigebäudes. Beim Eintreten entdeckte Vox Dr. Jens Schubert, der an dem Besuchertisch gemütlich Kaffee trank.
„Hallo Jens", die Begrüßung für den Kollegen fiel herzlich aus, „reicht der Kaffee noch für mich?"
„Hallo Eduard, wo bleiben die Brötchen?"
„Ach, die liegen unten auf dem Tresen, ich sollte ja auf der Stelle hochkommen."
„Ich bin auch noch da", brachte Detjen sich ärgerlich in Erinnerung. Federnd erhob er sich und setzte sich zu Schubert in die Besucherecke, wo Vox ebenfalls Platz genommen hatte.

„Das alte Ermittlungsteam EP 8 ist wieder gefordert“, begann der Chef übergangslos.
„Heute Morgen ist auf dem Gelände der WAKE GmbH in Waldstedt ein Toter gefunden worden. Vermutlich der Firmenchef.
Herbert Grün, Ihr Kollege, besichtigt zurzeit den Tatort. Herr Doktor Schubert, ich lege den Fall in Ihre bewährten Hände.“
„Kopf wäre besser, mit den Händen ist noch keine Tat aufgeklärt worden.“
Detjen warf einen strafenden Blick auf Vox. „Das wär´s von meiner Seite.“
„Los, Eduard, dann wollen wir mal keine Zeit verlieren. Auf nach Waldstedt.“
„Und das Frühstück?“
„Fällt heute aus, deinem Bauchumfang wird ´Einmalfasten´ gut tun.“
Als sie aus dem Gebäude hasteten, warf Vox noch einen giftigen Blick auf die jungen Polizisten, die genüsslich Brötchen mit seiner eingekauften Wurst belegten und unter sich aufteilten.

Waldstedt, idyllisch auf einer leichten Erhebung gelegen, hatte viele Jahre vergeblich versucht Kleinbetriebe an den Ort zu binden und damit Arbeitsplätze zu schaffen. Ohne Anmeldung standen eines Tages ein etwa dreißigjähriger Mann, der sich als Walter Keil vorstellte, und eine junge Frau im Gemeindebüro. Besuchsgrund: Firmenniederlassung. Ein direkter Zugang zur Autobahn, die mitten durch das Dorf führte und eine Schneise in den Geeströcken gefräst hatte, war eines der Hauptargumente für den Ansiedelungswunsch. Gewaltig viel Elan und zwei gebrauchte CNC - Maschinen aus der Konkursmasse einer Werkzeugfabrik, mehr konnten die beiden unscheinbaren Firmengründer nicht einbringen. Zufällig begegneten sie dem Bürgermeister, der sie nur aus großen Augen anstaunte. Mit zwei Fräsmaschinen ein Unternehmen aufbauen? Wie stellten die sich das vor? Aber letzten Endes beschloss der Gemeinderat

Grundstücke anzubieten, sogar kostenfrei. Was keiner voraussehen konnte, diese Keimzelle für Kleinteilfertigung expandierte mit einer ungeahnten Geschwindigkeit. WAKE GmbH, so der Name, schloss selbst nach der letzten Krise noch mit einem leichten Plus ab.

Lang gestreckte weiße Hallen auf dem Höhenrücken bildeten nun einen guten Orientierungspunkt am Rande von Waldstedt. Schubert und Vox kurvten durch das Haupttor in die Firma ein und wurden energisch von zwei Polizisten gestoppt. Rot –weiße Absperrbänder und flackernde Blaulichter gaben der gesamten Szene einen gespenstischen Anstrich. Beamte der Spurensicherung und des Tatortdienstes wuselten mit ernster Miene hin und her. Mitten aus dem geschäftigen Treiben kam ihnen Herbert Grün entgegen.
„Ihr kommt zu spät, die Leiche wird gerade abtransportiert."
Schubert winkte ab: „Wir müssen so oder so auf den Ausgang der Obduktion warten. Gibt es schon erste Erkenntnisse?"
„Abdrücke und Zeichen sind kaum zu finden. Vermutlich ist der Tod gestern Abend eingetreten. Fürchterlich geregnet hat es die ganze Nacht, wo sollen da Spuren zu finden sein? Außerdem – unsere Experten streiten sich noch, Fremdeinwirkung oder Unfall? Der Mann ist mit dem Kopf auf die Betonkante aufgeschlagen. Im Schädelbereich befindet sich eine Platzwunde, an der er vermutlich verblutet ist. Kann auch ein Sturz gewesen sein."
„Aha, weiß man Näheres über die Identität des Toten?"
Die Person steht zweifelsfrei fest. Bei dem Toten handelt es sich eindeutig um Walter Keil, Geschäftsführer und Inhaber der WAKE GmbH."

Gemeinsam stiegen sie die Treppe zum zweiten Stock empor.
„*Geschäftsleitung Keil*" stand auf einem verchromten Metallschild.
Schubert trat in das Vorzimmer ein und stellte sich vor. Abweichend von Klischeevorstellungen über das Personal eines

Sekretariats saßen hier eine junge Frau um die zwanzig und ein Mann hinter den Schreibtischen. Schubert schätzte den gut gekleideten Bartträger auf Mitte bis Ende dreißig. Keine Frage, wer hier den Ton angab. Ohne auf Schuberts höfliche Vorstellung zu reagieren, stand er auf und lief mit den Worten „Folgen Sie mir bitte!" an ihnen vorbei. Die drei marschierten brav hinterher und wurden durch die „Seufzerbrücke" in den Chefbesprechungsraum geführt. Von den Schicksalstragödien, die sich in der Vergangenheit in dieser Umgebung oft abgespielt hatten, ahnten sie nichts, wie sollten sie auch.
Schuberts geübter psychologischer Blick übersah die Sachlage bereits beim Eintreten. Überhöhter Schreibtisch, schlichte Stühle davor, hier wurde den Mitarbeitern schon optisch gezeigt, wer der Chef war.
„Wir nehmen die Sitzgruppe!"
Mit einer kurzen Handbewegung scheuchte er Vox, der, bequem ausgestreckt, in einem der „Anklagestühle" saß, wieder hoch. Lange Zeit passierte nichts, niemand schien sich um sie kümmern zu wollen.
„Da ging es bei unseren dienstlich bedingten Aufenthalten in der Berufsschule höflicher zu. Sekretärin Eva servierte uns gastfreundlich wenigstens erstmal Kaffee und setzte dazu ihr freundlichstes Lächeln auf. Dort war man willkommen."
„Du kannst diesen aufgeblasenen Bartgockel nicht mit der Schulsekretärin vergleichen. Eva Tamm war schon menschlich gesehen ein ganz anderer Typ. " Nach einigen Minuten Wartezeit wurde es Vox zu bunt. Ohne Vorwarnung sprang er auf und verschwand in Richtung Geschäftsleitung.
Atemlos kehrte er zurück.
„Dem Barthahn und der Vorzimmerhenne habe ich Bescheid gestoßen."
Im gleichen Moment öffnete sich die Seitentür. Mit mürrischem Gesicht erschien eine Frau von etwa vierzig Jahren, dunkelblond, Kurzhaarfrisur, nicht geschminkt. Ihre gut erhaltene Figur zeigte

lediglich um Bauch und Hüfte einen leicht fülligen Ansatz. Die Hose strammte.

„Guten Morgen“, zischte sie aus einem halbgeöffneten Mund, um dann überrascht einen unfreundlichen Blick auf die Männer in der Sitzgruppe zu werfen. Schubert, wie immer die Züge des Gegenübers gründlich studierend, bemerkte ihre Enttäuschung. Als Autorität über den Besuchern zu thronen, dieser Plan war nicht aufgegangen. Dominantes Selbstbewusstsein verwandelte sich in einen Anflug von Unsicherheit. Zögernd am „Chefsessel“ vorbeischleichend, setzte sie sich zu ihnen.

„Blanken!“ Ihre Vorstellung glich eher einem bissigen Einwurf.

„Unser Gehalt am Monatsende ist nicht durch Steuergelder gesichert wie Ihres. Wir müssen mit dem Betrieb jeden Cent mühsam auf dem freien Markt verdienen. Wenn ich mit einem Kunden am Telefon verhandle, ist das wichtiger als Ihre paar Fragen.“

Weder Gefühlsregung noch eine Spur von Traurigkeit über den Tod des Firmenchefs. „Merkwürdig“, sinnierte Schubert, während er ihr Pokergesicht aufmerksam beobachtete. Ungefragt übernahm er die Gesprächsführung.

„Freie Marktwirtschaft unterscheidet sich verständlicherweise von einem Sozialverband, klar. Freiwillig sind wir nicht hier, ein Mord ist aufzuklären.“

„Mord??? Dann stimmen Sie sich besser mit Ihren Kollegen ab. Schlimm genug, aber nach deren Vermutung war es ein Unfall. Ein Doktor und zwei Kripobeamte holen mich aus einer Konferenzschaltung und nur, weil jemand auf dem Fußweg gestürzt ist. Bei einer solchen Arbeitsweise wäre unser Geschäft längst pleite.“

„Bei diesem ´Jemand´ handelt es sich immerhin um Ihren Chef. Trauer empfinden Sie nicht?“

„Was erwarten Sie? Soll ich wie ein gemietetes Klageweib hier herumflennen?“

Ihre Hand machte eine Bewegung in Richtung der Hallen.

„Dort unten hängen ab jetzt zweihundert Arbeitsplätze und damit Schicksale von mir ab. Ich muss Aufträge hereinholen, Produktionsauslastung sichern und dafür sorgen, dass wir auch in Krisenzeiten Familienväter weiterbeschäftigen können. Vierzehn Stunden täglich und mehr sind für mich völlig normal."
Entnervt lehnte sich die Frau zurück.
„Aber davon haben Sie ja keine Ahnung."
Schubert sträubte sich gegen ein aufkommendes Gefühl von Sympathie. Kein leichter Job, wie er sich eingestehen musste.
Herbert Grün meldete sich überraschend.
„Wieso führen ausgerechnet Sie die Geschäfte weiter?"
„Was geht Sie das an", blaffte sie in die Runde.
„Immerhin wird im polizeilichen Auftrag auf Mordverdacht ermittelt. Wir könnten, falls es die Umstände erfordern, mit staatsanwaltlicher Anordnung den halben Betrieb auf den Kopf stellen."
„Von mir aus, stellen Sie doch ´auf den Kopf´, was Sie nicht lassen können."

Trotz der harschen Reaktion knickte sie aber überraschend ein.
„Beim Notar ist ein Firmensicherungsvertrag hinterlegt. Falls Walter, ich meine Herr Keil, nicht mehr handlungsfähig sein sollte, erhalte ich automatisch Prokura. Wenn Sie sich in Ermangelung anderer Probleme auch noch dafür interessieren, ob ich Kaffee oder Tee bevorzuge, ich trinke Kaffee."
„Wir auch", konterte Vox.
Seine Bemerkung blieb unbeachtet.
Herbert Grün krakelte aufgeregt etwas in sein Notizbuch, während Schubert die peinliche Vorstellung möglichst schnell abbrechen wollte.
Bei der Verabschiedung rang sich die neue Prokuristin sogar ein Lächeln ab und wirkte erleichtert.

Vor der Rückfahrt nach Nehberg besichtigten sie erneut den noch immer abgesperrten Tatort. Trotz heftiger Regenfälle meinten sie Reste von Blutspuren zu erkennen.
„Wer hier hinknallt, kann sich ohne Zweifel den Schädel aufschlagen."
Vox deutete auf eine beinahe messerscharfe Kante des Begrenzungssteines.
„Um Unfallvorschriften müssen die Tiefbauer einen großen Bogen gemacht haben. Kein Freizeithandwerker hätte das Betonteil so eingebaut."
Alle drei Teammitglieder der EP 8 stimmten der Vermutung `Unfall` als auslösendes Ereignis zu.
Ihre Verärgerung über den sinnlosen Ausflug nach Waldstedt konnten sie nur mühsam verbergen, als sie wieder im Polizeigebäude eintrafen. Seine Brötchen und der Aufschnitt hatten längst den Weg in die Mägen der Kollegen gefunden, wie Vox griesgrämig feststellte.
„Hoffentlich kriegen wir hier endlich ´mal ´nen Kaffee."
„Dann kümmer´ dich drum, Partyservice gibt´s im Polizeigebäude nicht."
Weitere Aufforderungen brauchte Vox nicht. Bald saßen sie in dem kleinen Dienstzimmer, das sich Vox mit Dr. Schubert teilte.
Urplötzlich erschien Detjen.
„Neue Erkenntnisse!"
Vox gab sich wenig Mühe, seine Abneigung gegen „neue Erkenntnisse" zu unterdrücken.
„Bei einer weiteren Überprüfung der Leiche sind einige Merkwürdigkeiten aufgefallen. Beispielsweise konnten keine Abstützspuren an den Händen gefunden werden. Ein Mensch, der fällt, stützt sich instinktiv ab. Vorausgesetzt, er ist nicht bewusstlos. Auch die vordere Kinnpartie zeigt ein starkes Hämatom, vermutlich durch einen Schlag mit einem stumpfen Gegenstand verursacht. Unsere Jungs von der Spurensicherung und vom Tatortdienst müssen gepennt haben. So etwas stellt man doch vor Ort fest und nicht erst nach Abtransport."

Detjen schüttelte den Kopf.
„Mit an Sicherheit grenzender Wahrscheinlichkeit liegt hier Fremdeinwirkung vor."
„Mord?" stellte Schubert seine These in den Raum.
„So isses!" Detjen nickte.
„Ihre EP 8 bleibt als Sonderkommission bestehen und ermittelt auf Tötung. Wegen des Obduktionsberichts mache ich Druck, wir brauchen schnelle Ergebnisse. Ein mittelständischer Unternehmer ist in unserer friedlichen Gegend noch nie umgebracht worden."
„Meinen Kaffee trinke ich aber noch aus", maulte Vox.
Sein Chef warf ihm beim Verlassen des Raumes einen ärgerlichen Blick zu.

Seit zwei Tagen arbeitete die EP 8 wieder mit vollem Einsatz.
„Fast wie in alten Zeiten", stellte Vox mit einem leicht nostalgischen Unterton fest, wobei er sicherlich an den Fall „Schulkatakombe" dachte.
Schnelle Ergebnisse, an denen alle interessiert waren, blieben leider aus. Ihre „Arbeitsbesprechung zur Einsatzplanung" , schamhafte Umschreibung einer üppigen Mittagspause im Polizeigebäude, verlief aus diesem Grunde auch einsilbiger als sonst.
Ohne Ankündigung wurde die Tür geöffnet und Detjen stand im Dienstzimmer, genau vor dem gedeckten Tisch. Unsicher nach Worten suchend, blickte er erstaunt in die Runde.
„Bin ich hier im Schnellimbiss gelandet? Ich dachte, Sie stimmen an diesem Vormittag die Einsatzplanung ab."
„Brötchen und Kaffee kann man als flankierende Maßnahmen einstufen, ansonsten arbeiten wir an organisatorischen Fragen."
Vom Tisch stieg ein verführerischer Duft auf. Ihr Dienststellenleiter schnupperte genießerisch. Vox reagierte sofort.
„Keine Vorschrift verbietet Nahrungsaufnahme während einer Dienstbesprechung", erklärte er hinterhältig feixend im schönsten Beamtendeutsch. „Hier sind noch üppige Reste."

„Ja, also, ich hätte eine Änderung bekannt zu geben.“ Detjen zögerte und überlegte, zog dann aber doch einen Stuhl zu sich heran. Mit wieselflinken Fingern schenkte Vox Kaffee ein und schob den Teller zu ihm hinüber. Beim Anblick der mit Hack belegten Brötchen brach sein Widerstand endgültig zusammen. Herzhaft biss er hinein und spülte nach.

„Herr Doktor Schubert, ich muss Sie leider aus der Ermittlungsgruppe für eine begrenzte Zeit entfernen. Uns wurde eben vom Kompetenzzentrum Nehberg ein Fall von Bedrohung gemeldet. Hier sollte umgehend gehandelt werden, einen Aufschub können wir uns nicht leisten.“
Schubert blickte aufmerksam hoch. Welcher wichtige Grund konnte vorliegen, damit er aus dem als brisant eingestuften Mordfall Keil herausgenommen würde? „Schüler sollen angeblich erschossen werden “,stieß Detjen hervor und trank hastig seine Tasse leer, „damit hat ein junger Mann aus dem Kompetenzzentrum in einer Klasse gedroht. Wir nehmen die Sache ernst. Ein Streifenwagen ist unterwegs. Begleiten Sie die Aktion bitte psychologisch“, wandte er sich an Schubert.
„Und was wird aus uns?“ fragte Vox verärgert in den Raum.
„Sind Sie Kücken und von einer Glucke abhängig? Zwei gestandene Polizeibeamte sollten in der Lage sein allein weiter zu ermitteln.“
Detjen gab sich keine Mühe, sein Missfallen zu verbergen.
„Übrigens“, sein Blick ruhte auf Vox und Herbert Grün, „wir brauchen schleunigst Resultate.“
Eilig verließ er die Runde.
„Im nächsten Leben werde ich auch Dienststellenleiter“, fauchte Vox.
„Platzt in eine Besprechung, zieht sich zwei Mettbrötchen und unseren Kaffee rein und treibt uns dann noch zur Eile an.“
„Eduard, denk´ dran, du hast nur eine Galle, also reg´ dich nicht auf! Herbert und du, ihr macht euch am besten auf die Socken

nach Waldstedt. In der Zwischenzeit schau´ ich mir den Möchtegern – Amokschützen an, heute Abend sehen wir weiter."

Draußen zog eine klare Dezemberlandschaft vorbei. Leichte Wolkenschleier am Himmel dämpften die Sonne und ließen den Tag in einem milchigen Licht erscheinen. Herbert Grün seufzte am Steuer.
„Eigentlich eine Schande, bei diesem Wetter mit dem Auto zu fahren."
„Zu Fuß bräuchten wir für die fast zehn Kilometer über zwei Stunden. Erklär´ mal unserem Oberboss im Polizeigebäude, wir konnten den Täter nicht finden, weil wir wegen des schönen Wetters marschiert sind."

Wie üblich, meldeten sie sich im Vorzimmer der Geschäftsleitung an. Nach zähen Verhandlungen durften sie einen kleinen feuchten, schlecht belüfteten Raum in einer der Lagerhallen benutzen. Wie sich herausstellte, ein Vorteil, denn damit befanden sie sich im Zentrum des Firmengeschehens. Trotz der unbequemen äußeren Umstände konnten sie eine Art Steckbrief von „tatortrelevanten" Beschäftigten erstellen.

Heike Blanken gehörte nicht zu den Freizeitfreaks, ihr Arbeitstag endete selten vor zwanzig Uhr. Merkwürdig war nur, dass sie am Todestag von Walter Keil schon mittags aus der Firma verschwunden war.

Drei Ingenieure, die Keil am Abend seiner Ermordung zu sich zitiert und fürchterlich zusammengestaucht hatte, trugen wenig zur Aufklärung bei. Wenn der Arbeitsplatz gefährdet sei, so ihre Aussage, achte man kaum auf Ereignisse außerhalb seines Büros. Gegen Mitternacht, als alle drei gemeinsam das Betriebsgelände verließen, habe sich der Mercedes noch in der Parkbucht befunden und aus den Fenstern des Chefbüros hätte sich, weithin sichtbar, eine wahre Lichterflut in die dunkle Nacht ergossen.

Mehr konnten oder wollten sie nicht berichten. Eher zufällig erwähnten sie die starke Affinität ihres Bosses zur Weiblichkeit. Ganz oben auf der Liste seiner Begehrlichkeiten standen junge Damen unter zwanzig. Erstmalig fielen in dem Gespräch auch zwei Namen: Sandra Bohl und Claudia Esser. Sehr schnell konnte eine Verbindung hergestellt werden. Erich Bohl, Vater der jungen Auszubildenden Sandra, arbeitete bei WAKE als Einrichter.

Hier wollten die beiden Kriminalbeamten heute ansetzen.
„Nehmen wir uns zuerst diese Sandra vor, Kaffee serviert uns das ´freundliche´ Personal in diesem Scheißladen mit Sicherheit nicht."
„Regelst du das mit der Anmeldung?"
Im Interesse eines reibungslosen Ablaufs hatten sie mit der Firmenleitung eine Vereinbarung getroffen: Jede Befragung eines Betriebsangehörigen sollte dort gemeldet werden. „Sicherung des Produktionsvorganges" hieß die Begründung.
Grün stiefelte hoch in den zweiten Stock und kam wenig später mit einem verschüchterten weiblichen Lehrling zurück.
„Bohl", stellte sie sich artig vor. Vox, oft bärbeißig und griesgrämig, mutierte bei ihrem Anblick zum sanften und liebevollen Großvater.
„Hallo, mein Name ist Vox, wie der Fernsehsender, darf ich Sie Sandra nennen?"
„Klar, Sie dürfen mich aber noch duzen."
„Höflichkeit und Respekt stehen bei der Polizei hoch im Kurs. Vorname und Sie sind schon in Ordnung."
Herbert Grün starrte beinahe fassungslos auf seinen geläuterten Kollegen.
Vox bemühte sich um einen netten und freundlichen Ton in seiner Stimme, was ihm erstaunlicherweise auch gelang.
„ Sandra, Sie sind vermutlich der letzte Mensch, mit dem Keil vor seinem Tod noch gesprochen hat. Was hat er gesagt, schildern Sie uns doch mal alles, was Ihnen einfällt. Auch Einzelheiten sind wichtig."

Sein Gegenüber errötete vor Verlegenheit und zierte sich.
„Haben Sie ruhig Vertrauen zu uns."
„Also, am Tag vorher sprach Herr Keil mich an und lud mich zu einem, wie er sich ausdrückte, kultivierten Abendessen ein."
„Aha, und?"
„Eine blöde Situation, was sollte ich denn antworten? Meinem Vater durfte ich nichts erzählen, der flippt immer schnell aus."
„Sie hätten ´Nein!´ sagen können."
„Hab´ ich mir nicht getraut."
Verlegen heftete sie den Blick auf die Tischplatte und schluckte heftig.
„Mein Ausbilder überbrachte mir einen Tag später die Einladung zur Sitzung über Qualitätsmanagement. So hießen die Zusammenkünfte, in denen über Produktionsfehler gesprochen wurde."
Das Mädchen zögerte und krallte seine Hände am Stuhl fest.
„Ja und, weiter?"
„Herr Keil, also, drei Ingenieure…", unfähig weiterzusprechen, brach sie ab.
„Mit den drei Betroffenen haben wir uns schon unterhalten. Sie wurden fürchterlich zusammengebrüllt, oder?"
Sandra, ihre Lippen fest aufeinander gepresst, nickte.
„Aber danach, was passierte danach?"
Sandra schluckte erneut.
„Zu mir war er wieder nett und freundlich: ‚Ich prüfe die Fertigung und hole dich gleich ab. Warte hier.`
Dann stürmte er hinüber in die Hallen."
„Und?"
„Über zwei Stunden habe ich herumgesessen, aber er kam nicht zurück. Dann bin ich auch gegangen."
„Sie müssen sich doch ein paar Gedanken gemacht haben, wo ihr Chef stecken könnte. Haben Sie nicht nach ihm gesucht?"
„Wo sollte ich denn suchen? Außerdem, seine Anweisung lautete: Warte hier! Wenn Anordnungen nicht befolgt wurden,

reagierte er aggressiv. Sein Brüllen hörte man oft durch den gesamten Bürotrakt."
„Hm, na ja, sonst ist Ihnen nichts aufgefallen? Geräusche, Hilferufe, Lärm?"
„Nein, es war die ganze Zeit unheimlich still."
„Tja, Sandra, vielen Dank. Bei weiteren Fragen melden wir uns."

Jens Studter, seit 15 Jahren Pförtner bei der WAKE GmbH, galt bei allen Werksangehörigen als penibel und superkorrekt. "Niemals auffallen oder anecken", so ein Wahlspruch, den er oft und gern zitierte. Merkwürdigerweise schien diese Eigenschaft selbst bei Walter Keil zu funktionieren. Keiner konnte sich erinnern, dass er, im Gegensatz zu vielen anderen Beschäftigten, jemals angeschrien oder gemaßregelt worden wäre. Nachdem der Firmenchef an jenem Abend nur einige Meter von seiner Pförtnerloge entfernt ermordet worden war, entwickelte sich in seinem Inneren ein diffuses Schuldgefühl. Hätte die Tat nicht verhindert werden können?

Bei der Befragung präsentierte sich den Kripobeamten ein völlig aufgelöster Mensch. In diesem Zustand stieß bei ihm jede Frage an ihre Grenzen. Anfangs schwieg er beharrlich, dann plapperte er wirres Zeug, aus dem keiner recht schlau wurde. Zweimal tauchte in seinem chaotischen Bericht auch ein Mädchen mit dem Namen Claudia auf. Erschreckt, zu viel gesagt zu haben, war er seitdem zu keiner Erklärung mehr zu bewegen.

Grün und Vox saßen nach dem Weggang von Sandra Bohl etwas ratlos zusammen und überlegten die Vorgehensweise.
„Erzwingen können wir Geständnisse von Studter nicht. Wir sollten uns diese Claudia vornehmen, aber – so heißt fast jede dritte weibliche Person im Umkreis von hundert Kilometern."
„So vertrackt ist das nun auch nicht. Bleib´ du hier, ich frage oben im Vorzimmer bei unserem Bartträger nach, ob eine ihrer Azubis so einen Vornamen hat."

Zehn Minuten später erschien er im Türrahmen mit einer bunt schillernde Figur. Mit ihrem Outfit wäre sie wahrscheinlich auch auf einem Punk-Festival noch aufgefallen. Ein totaler Gegenpol zu allen anderen funktionierenden angepassten Betriebsangehörigen. Wieso konnte sich dieser Paradiesvogel ein solches „Karnevalskostüm" im System dieser grundsoliden und streng hierarchisch geführten Firma leisten?"
„Hallo, ich bin die Claudia!"
Ohne den schockiert wirkenden Vox zu beachten, angelte sie sich einen Stuhl, lümmelte sich hin und zog ein Bein an, bis ihr angeschmutzter Schuh auf der vorderen Sitzfläche auflag.
„Dürfen wir noch Ihren Nachnamen erfahren?"
„Dürfen Sie, wenn´s unbedingt sein muss."
„Und – wie lautet der?"
„Esser."
„Esser?"
„Na, sag´ ich doch."
„Frau Esser, Sie sind Lehrling im dritten Ausbildungsjahr, fast drei Jahre hier in der Firma. Ihr Chef, also Herr Keil, hat er in dieser Zeit versucht, Sie abends auszuführen, zum Abendessen oder zu einer anderen Veranstaltung?"
"Blöde Frage, wie mein´ Sie das?"
„Ist er Ihnen ´mal näher gekommen oder hat es versucht?"
„Geht Sie doch nichts an, meine Sache, mit wem ich rumvö…….., !"
„Frau Esser, Details brauchen wir keine", unterbrach Vox scharf.
„Hier ist ein Mensch umgebracht worden und wir arbeiten daran, ein Gesamtbild zu erstell…"

Mit lautem Krachen flog die Tür auf. Von dem gewaltigen Knall aufgeschreckt, fuhren alle drei hoch. Im Rahmen stand ein bulliger Kerl, breite muskulöse Arme und Schultern, Stiernacken und eine Nase, wie ein Berufsboxer nach zehn Jahren im

Profigeschäft. Auf dem sonst so selbstsicheren Gesicht der Punkerin zeigte sich ein Anflug von Panik.
„Claudia, marsch an deinen Arbeitsplatz!"
„Wieso denn…?"
„Hast du gehört, was ich gesagt habe?" Drohend trat der Mann einen Schritt vor. Zögernd und unsicher stand sie auf und schlich wie ein geprügelter Hund aus dem Raum. Keinen Blick an die schockierten Kriminalbeamten verschwendend, zog sich der „Bodyguard" - Typ zurück.
„Fünfundzwanzig Jahre im Dienst, aber das ist mir noch nie passiert", fand Herbert Grün als erster die Sprache wieder.
„Fordere dringend einen Streifenwagen an."
„Quatsch, soll unsere Vernehmung zur Lachnummer verkommen? Wir blamieren uns bis auf die Knochen. Zwei gestandene Kripobeamte lassen sich eine junge Dame aus einem Ermittlungsgespräch quasi entführen. Statt Gegenwehr sitzen sie da wie die Ölgötzen und tun keinen Mucks aus. Halb Nehberg lacht sich tot über die Polizei, wenn sich das ´rumspricht."
„Ich weiß nicht recht…"
„Aber ich! Los, hoch zur Geschäftsleitung und Namensfeststellung. Auf seiner blauen Arbeitskombi stand der Schriftzug WAKE, also ein Mitarbeiter."

Bei ihrem Erscheinen im Vorzimmer drückte der „Bartträger" schnell auf eine Taste. Akustische Verbindung zu seiner Chefin, mutmaßte Grün folgerichtig.
„Frau Blanken befindet sich in einer wichtigen Verhandlung mit Kunden und steht für Fragen nicht zur Verfügung."
„Fragen wollten wir auch keine stellen. Einer ihrer Mitarbeiter hat unsere Amtshandlung gewaltsam unterbrochen. Claudia Esser, Auszubildende, wurde durch Einschüchterung an der Aussage gehindert. Nehmen Sie bitte zur Kenntnis, was auf diesen gewaltbereiten Berufsboxertyp in Form einer Anzeige zukommt: Nötigung von Polizeibeamten, Störung einer Amtshandlung, Strafvereitelung, Zeugenbedrohung, Widerstand gegen die

Staatsgewalt. Fällt es schwer, auf seine Arbeitskraft in nächster Zeit zu verzichten?"
Gespannte Stille breitete sich aus. Scheinbar gleichmütig starrte die junge Frau an der Fensterseite auf ihren Bildschirm. Aus den Augenwinkeln beobachtete sie heimlich das Geschehen.
Wie ein Geist schwebte Heike Blanken in die Szene.
„Kann ich Ihnen helfen?"
Höflich, fast schüchtern, trat sie diesmal auf die beiden Männer zu.
„Eine Lageeinweisung ist nicht mehr erforderlich, durch Ihre Sprechanlage sind Sie mit Sicherheit über alles informiert."
Leichte Röte überzog das Gesicht der sonst so selbstsicher wirkenden Frau. Zu Recht fühlte sie sich ertappt.
„Solche Problemlagen kann man doch durch ein vernünftiges Gespräch entschärfen. Zunächst werde ich Sie in einen freundlicheren Raum umsetzen. Cornelius!"
Gehorsam sprang der „Bartträger" auf.
„Führe die Herren bitte in das kleine Konferenzzimmer und kümmere dich, na ja, du weißt schon."
„Folgen Sie mir bitte! Habe ich mich eigentlich schon vorgestellt? Müller, Cornelius Müller. Ich regele sozusagen den Bürobetrieb und bin im Vorzimmer für die Koordination aller Abläufe zuständig."
Licht flutete durch die Fenster ihres neuen Domizils. Der Kontrast zu ihrem alten schlecht belüfteten und feuchten Raum in der Lagerhalle hätte kaum größer sein können.
„Irgendwie komisch", Vox nahm in einem der gepolsterten Stühle Platz.
„Überraschend demonstrieren die Prokuristin und ihr Vorzimmerwachhund eine Ritterlichkeit, die fast schon verdächtig wirkt. Vorgestern sind wir aufgetaucht und heute stellt sich dieser Bengel erst vor."
„Claudia scheint bei denen eine Initialzündung ausgelöst zu haben. Warum reagieren die wie aufgescheuchte Hühner?"

Leises Klopfen unterbrach ihre Überlegungen. Auf einem Servierwagen schoben zwei Bedienstete aus der Kantine belegte Brötchen, Kuchen und zwei Kannen mit Kaffee und Tee herein. In Windeseile war ein kleiner Beistelltisch eingedeckt. Vox schnupperte aufgeregt.

„Möchten Sie die Mittagsmahlzeit hier einnehmen oder sollen wir im Speiseraum Sitzreservierung besorgen? Geht selbstverständlich auf die Firma."

„Mensch Eduard, dürfen wir oder fällt das schon unter Beamtenbestechung?"

Gelassen winkte Vox ab: „Interessiert mich doch nicht. Reservieren Sie zwei Plätze für dreizehn Uhr. Danke!"

„Ach du Sch...., mein Anorak liegt noch da unten in unserem feuchten Kabuff. Warte du hier auf die Blanken, ´mal sehen, was die uns als Story präsentiert. Danach überlegen wir, Anzeige ja oder nein."

Herbert Grün verschwand. Vox stürzte sich auf die servierten Köstlichkeiten wie ein Patient nach ärztlich verordneter Fastenkur.

Lange Minuten vergingen, Vox verpflegte sich am Rande der Sättigungsgrenze, ehe Grün wieder auftauchte.

„Wunderst du dich nicht, weil ich so lange weggeblieben bin?"

„Nö", mümmelte sein Kollege zufrieden vor sich hin.

„Nichts ahnend tigerte ich in der Halle an einem riesigen Regal vorbei.

Zwei Ballen lagen versetzt, so hatte ich freien Blick auf einen Gabelstapler."

„Sensationell was du an geheimen Informationen zusammenträgst . Solche Dinger fahren gelegentlich da drinnen spazieren. Mit ihrer Hilfe werden Warengestelle be- und entladen."

Grün winkte ärgerlich ab.

„Weißt du, wer in entspannter und lässiger Haltung oben auf dem Fahrersitz thronte?"

„Ist das hier ein Quiz ?"

„Unser Boxertyp mit der Zehnkämpferfigur von vorhin. Aber nicht allein! An seiner Seite entdeckte ich die Blanken. Unentwegt redete sie auf ihn ein. Verstehen konnte ich nichts, aber ich war auf meinem vorgeschobenen Beobachtungsposten gut blickgeschützt. Reine Neugierde. Jetzt halt´ dich fest. Zum Schluss kletterte unser Grobian vom Sitz, sah sich scheu um und ich meine, er hat die Blanken komisch berührt, vielleicht sogar umarmt. Durch eine Drehung waren sie leider aus meinem Blickfeld entschwunden."
„Ohh!" Eduard Vox stoppte überrascht seine Futterorgie.
„Soll das heißen…..?"
„Zumindest wäre einiges zu vermuten."
„Was machen wir jetzt mit der Anzeige?"
„Abwarten und erst frühstücken, falls du ein paar Brosamen übrig gelassen hast."

Dazu kam es nicht mehr, von draußen pochte es an der Tür. Auf ein „Herein" folgte keine Reaktion. Grün sprang auf und öffnete. Davor stand, unschlüssig die Mütze in der Hand drehend, der Gabelstaplerfahrer.
„Darf ich eintreten?" fragte er mit einer Verlegenheit, die nicht zu seiner dominant wirkenden Figur passte.
„Bitte", winkte Vox ihn heran. An seinem Gesichtsausdruck konnte man erkennen, dass ihm der Satz, den er jetzt gleich aussprechen wollte, sehr schwer von den Lippen ging.
„Bitte entschuldigen Sie meine Störung von eben. Es ist nur so, wie soll ich sagen, also ……, Claudia ist meine Tochter."
Vox und Grün sahen überrascht auf.
„Trotzdem, wegen der paar Fragen haben Sie mit Drohungen unsere Ermittlungsrunde gesprengt?"
„Tut mir leid, aber als Vater….., wenn Sie Ihre geplante Anzeige vielleicht noch mal prüfen könnten?"
Beide sahen sich überrascht an und wunderten sich. Woher wusste er das mit der Anzeige? Vox nickte schließlich.

„Wenn Sie uns ab jetzt in Ruhe lassen, werden wir darüber nachdenken. Schicken Sie ihr Kind für ein paar Fragen wieder zu uns."
Schnell wie ein nächtlicher Wanderer, der einen unheimlichen Ort möglichst eilig verlassen will, hastete er davon. Ehe er im Treppenhaus verschwand, drehte er seinen Kopf. „Danke!"
„Welcher Wandel innerhalb kurzer Zeit", sinnierte Grün. „Irgendwie habe ich ein ungutes Gefühl, als ob man uns ablenken wollte."
"Na und? Stört das? Jetzt machen wir da weiter, wo wir vor einer Stunde aufgehört haben."
Wohlgefällig ließ er seinen Blick in den komfortabel eingerichteten Raum mit dem gedeckten Tisch schweifen und fuhr fort: „Aber auf einem wesentlich höheren Niveau."

Antje

Antje, von ihren Freunden kurz Anti genannt, hatte mit Männern Pech. Kurz vor ihrem neunundzwanzigsten Geburtstag zog sie ein eher negatives Resümee. „Schicksalsmäßig scheine ich immer den Falschen zu begegnen", überlegte sie resigniert manchmal in einer stillen Stunde, wenn sie abends allein bei einem Glas Wein den Tag ausklingen ließ. Kein Grund zur Zufriedenheit, sehnlichst wünschte sie sich einen verlässlichen Partner und einen Vater für ihren vierjährigen Sohn. Alleinerziehende Mutter? Nicht unbedingt das Ziel ihrer Sehnsüchte.

Ihre erste Beziehung mit sechzehn hatte sie alle Höhen und Tiefen durchleiden lassen, die zwischen zwei Menschen überhaupt möglich sind. Unsterbliche Liebe zu einem gleichaltrigen Jungen. Trennung mit Herz, Schmerz, Verzweiflung und Gedanken an Selbstmord. Heute lachte sie darüber. Unmöglich, sich für einen Vertreter des anderen Geschlechts umbringen zu wollen. Für einen solchen Schritt ist wohl eben immer die Situation entscheidend, in der man sich befindet, sinnierte sie.

Weitere Gefährten nachfolgender Abschnitte hinterließen keine tiefgründigen Spuren in ihrer Erinnerung. Bedingungen für ein langfristiges Zusammenleben ergaben sich einfach nicht. Aus der Folge abgebrochener loser oder engerer Freundschaften ragte als positive Erinnerung die Zeit mit einem Kollegen heraus. In ihm glaubte sie erneut, diesmal endgültig, den Mann fürs Leben gefunden zu haben. Sohn Ernst kündigte sich an und brachte das Kartenhaus „Familie“ zum Einsturz. Verantwortung für ein Kind könne er in der gegenwärtigen Situation nicht tragen, dazu habe er noch zu viel vor. Allerdings, die Frage, wer denn dann die Verpflichtung für seinen Teil des ungeborenen Lebens übernehmen sollte, stellte sich der werdende Vater nicht. Gedanken über die Bürde, die er der zukünftigen Mutter auferlegte, schien er sich auch keine zu machen. „Vielleicht war es auch besser, dass ich mit diesem selbstgefälligen Egoisten keinen gemeinsamen Lebensweg eingeschlagen habe“, resümierte sie, wenn sie diesen Abschnitt ihres Lebens, der ihr den Sohn Ernst beschert hatte, gedanklich streifte.

Vor dem Fenster des Lehrerzimmers tanzten Schneeflocken und wirbelten in Spiralen zu Boden. Nachdenklich füllte Antje das Klassenbuch aus, gestochen scharf die Normschrift „Berufseinstiegsklasse Metall“ auf dem schwarzen Pappdeckel. Darunter ebenso schnörkelfrei „Berufsvorbereitungsjahr“, Klassenlehrer Möhrig legte Wert auf Äußerlichkeiten. Einfaches Unterrichten konnte man das, was sie dieser Gruppe von zwölf Schülern im Fach Deutsch beibringen sollte, nicht nennen. Realer Ablauf in der Klasse – neunzig Minuten, gefühlte Zeit – sechs Stunden. Egal, sie hatte die Fächerkombination Englisch / Deutsch. In einem beruflichen Kompetenzzentrum hieß das Einsatz in allen dort geführten Stufen, erzieherische Herausforderungen eingeschlossen. Antje stöhnte leise.

Berufsvorbereitungsjahr – eine Ansammlung von Jugendlichen ohne Hauptschulabschluss, die laut Richtlinie auf eine „besondere individuelle Förderung“ angewiesen waren. Sicher, bei vielen der jungen Leute handelte es sich um arme Teufel, die dringend eine gezielte Förderung gebraucht hätten. Leider gab es, wie in jeder Gruppierung, ein Störpotenzial. Drei Verhaltensauffällige dieser Sorte genügten, um einen ordnungsgemäßen Ablauf durcheinander zu bringen.

Gewaltbereite Typen wie Jörg, einer der Anführer, setzten sich durch. Jeder hatte Angst vor ihm und wenn Antje ehrlich war, sie auch. Zu unberechenbar reagierte der Junge auf manchmal banale Vorkommnisse: Totaler Kontrollverlust wegen schlechter Noten, Ausflippen ohne ersichtlichen Grund oder nur, um Aufmerksamkeit zu erregen. Bei Jörg mussten Lehrkräfte immer mit unvorhersehbaren Situationen rechnen. Gute Nerven und eine stabile Psyche gehörten zum pädagogischen Tagesgeschäft, mit dem Erzieher fertig werden mussten. Stabilen Halt gab die Klassenkonferenz. Regelmäßig trafen sich die Lehrer zu einer Art Erfahrungsaustausch. Disziplinprobleme kamen zur Sprache und es wurden gemeinsam Strategien entwickelt, wie man auch gestörte Schüler in das Unterrichtsgeschehen einbinden könnte. Im Falle des gewaltbereiten Jörg hatte die Konferenz beschlossen, den Schulpsychologen einzuschalten. Trotzdem, am nächsten Tag stand man wieder allein vor zwölf jungen Leuten, von denen einige eben nicht bereit waren, sich Regeln zu unterwerfen. Ihrer Meinung nach hatten sie nichts mehr zu verlieren.
Mit einem Seufzer klappte sie das Klassenbuch zu und steckte es in das für die Aufbewahrung vorgesehene Fach. Nachdenklich blickte sie hinaus in den nassen Dezemberschnee und stutzte. Eine Person befestigte, sich vorsichtig umblickend, einen Zettel an der Windschutzscheibe ihres Golfs. Beim näheren Hinschauen erkannte sie Addy, Schüler ihrer Deutschklasse im Berufsvorbereitungsjahr. Er wurde als Problemfall aus dem

Jugendhof Waldstedt überwiesen. Groß, bärenstark aber geistig zurückgeblieben, stand er in der gnadenlosen Rangordnung der Zwölf an unterster Stelle. Jörg, dominant und befehlsgewohnt, wandelte den Namen sofort in „Arsch“ um.
„He, Arsch, hol mir eine Cola aus dem Automaten!“ Addy gehorchte widerstandslos. Mitschüler, ein Kopf kleiner als er, traten ihn in den Hintern, wenn er nicht schnell genug zur Seite ging. Scheu wich dieses Riesenbaby ohne Gegenwehr aus. Als Lehrerin entwickelte sie ein tiefes Mitgefühl für den Gedemütigten, aber was sollte sie tun? Antje hatte selbst ein Problem mit diesem Zögling aus dem Jugendhof. Er stellte ihr nach. Nicht unangenehm oder aufdringlich, eher zurückhaltend schüchtern. Während der Pausenaufsichten wich er nicht von ihrer Seite. Ohne ein einziges Wort stand er still und stumm neben ihr. Dabei schaute er teilnahmslos auf den Boden. Auf der Treppe zum Lehrerzimmer bemühte er sich ihre Schrittfolge zu halten. Am Ende der Stunde, wenn die Meute als unkontrollierter Haufen aus dem Raum drängelte, blieb er vor dem Lehrertisch stehen und wartete.

Startete sie ihren Wagen auf dem Parkplatz, tauchte er wie aus dem Nichts mit seinem Fahrrad auf. Trotz ungünstiger Witterung fuhr er die zehn Kilometer bis zum Jugendhof nicht mit dem Bus. Auf dem parallel zur Straße verlaufenden Radweg versuchte er ihr zu folgen. Langsam dahinrollend blieb sie so lange neben ihm, bis die nachfolgenden Fahrer hupten. Im Rückspiegel zeigte sich das Bild eines Jungen, der abstieg und ihrem Fahrzeug lange nachstarrte.
Schnell verließ sie den Aussichtsplatz am Fenster und packte ihre Unterlagen zusammen. Eile tat Not. Christina, Kinderbetreuung für den kleinen Ernst, fiel zwei Tage aus. Jetzt brauchte sie dringend Ersatz. Sicherlich gab es einfachere Jobs als den einer allein erziehenden Mutter.

Unter dem Scheibenwischer steckte ein vom Nassschnee durchweichter Zettel.
„sie sind lib", stand da in krakeliger Schrift. Ach richtig, Addy, ein großes Wickelkind, das einfach nicht erwachsen werden wollte. Aber Antje war verunsichert. Was bedeutete ein solches Verhalten? Keine andere Lehrkraft konnte ähnliche Erfahrungen vorweisen, wie eine Diskussion in der Klassenkonferenz ergab. Urteile schwankten zwischen femininer Verehrung oder Mutterrolle. Immerhin war man sich einig, ein Grund zur Sorge bestand nicht, und vielleicht half es, sein infantiles Verhalten zu stabilisieren.

An diesem Dezembertag waren einhundertachtzig Minuten Englisch in der zwölften Jahrgangsstufe des Gymnasiums für Antje keine Herausforderung. Motivierte Schüler, optimal vorbereitete Texte, Informationsbeschaffung zu den Formulierungen im Computerraum, kurz, ein gewinnbringender Verlauf.
In der Pause danach allerdings wurde sie von Unruhe und Beklemmungen geplagt. Zwei weitere Stunden würden es in sich haben. Berufsvorbereitungsjahr!
An dem kleinen Vierertisch im Lehrerzimmer schüttelten drei Kollegen den Kopf. Mit stark zitternder Hand versuchte sie die Kaffeetasse zum Mund zu führen. Ihr heller gestreifter Pulli zeigte unter den Armen Andeutungen von Schweißflecken. Unheimlich peinlich war ihr dieses äußerlich sichtbare Zeichen von Angst. Erklären konnte sie ihr Verhalten selbst nicht.

„Nichts ist so schlimm wie man fürchtet", das alte deutsche Sprichwort schien zu stimmen. Zehn Schüler, wie üblich fehlten zwei, fielen fünfundvierzig Minuten gar nicht oder kaum auf. Unterhaltungen, Zwischenrufe – Peanuts in einer Klasse wie dieser. Problemfall Jörg schaute gelangweilt aus dem Fenster und schien jegliche Lust auf Provokation verloren zu haben. An der Tafel standen Begriffe, die zu einem kleinen Text

zusammengefügt werden sollten – Förderung der schriftlichen Ausdrucksweise laut Lehrplan.
Es folgte der übliche Kleinkrieg:
„Mein Heft is´ weg!“ „Ich kann nicht schreiben, Dirk hat mir den Kuli geklaut.“ „Was soll´n wir eigentlich machen?“ „Wozu brauchen wir das alles?“
Antje atmete tief durch. Ruhe, Nerven wie Drahtseile, Verständnis und ein ausgleichendes Wesen gehörten zu den Grundtugenden an einem solchen Arbeitsplatz. Ruhig ging sie von Platz zu Platz und teilte für Schüler, die angeblich nichts dabei hatten, Kugelschreiber und Papier aus. Addy war der einzige, der schon schrieb oder besser, sich wenigstens bemühte. Vor seinem Stuhl blieb sie stehen. Wie üblich, guckte er nicht hoch, sondern senkte den Kopf und schwieg. Als sie auf dem Weg nach vorn eine Frage beantworten wollte, entstand für einen winzigen Moment Blickkontakt zu dem großen Jungen. Seinen Kopf hatte er wieder erhoben und lächelte sie verträumt an.

Jörg scheint entschlossen nichts zu tun. Die Beine lang ausgestreckt, lässt er seine Arme über die Stuhllehnen baumeln und demonstriert mit lässig in den Nacken zurückgelegtem Kopf weithin sichtbar Verweigerung. Seine Lehrerin muss entscheiden – eingreifen oder übergehen. Auf Grund ihrer Erfahrung weiß sie genau, was passieren würde, wenn sie Jörg auffordern sollte, die Worte zusammenzufügen und sich angemessen zu hinzusetzen.
Beleidigte Reaktion, Schreierei und die Frage:
„Häähh, was hab ich denn gemacht? Spinnt die Alte?“
Neun Schüler versuchen zu schreiben, einer hängt, ohne zu stören, über seiner Sitzgelegenheit. Antje entscheidet sich für den gedachten Computerbefehl „Übergehen.“ Könnte bis zum Ende der Stunde funktionieren.

Ausgerechnet Addy, ihr tapsiger Verehrer, bringt das pädagogische Konzept durcheinander. Stolz erhebt er sich

spontan und legt seine fertige Ausarbeitung auf das Pult. Andere melden sich.
„Meins´ müssen Sie auch einsammeln!"
Alternativen zur Konfrontation sind jetzt nicht mehr möglich.
„Gut, bringt das, was ihr auf dem Papier habt, nach vorn."
Jörg scheint aus einer Art Tiefschlaf zu erwachen und richtet sich auf.
„Jörg, deine Aufgabe!"
„Welche Aufgabe?" Gähnend reckt er beide Arme nach oben. Mitläufer kichern, der Rest wartet gespannt auf das Ergebnis der Auseinandersetzung.
Verzweifelt spielt Antje in Gedanken ihre Möglichkeiten durch. Vor die Tür schicken? Funktioniert nicht. Ihre Aufsichtspflicht verbietet das. Außerdem würde er nicht einmal aufstehen. Mögliche Antworten:
„Ich denk´ nicht dran und bleib´ hier sitzen. Mach doch was!"
Den Direktor holen? Lachhaft! Ihre Autorität würde untergraben, wenn sie Hilfe zur Unterstützung braucht. Außerdem – auch ihr Chef könnte nichts ausrichten. Eventuell Hausverbot und Polizei. Aber dazu ist der Anlass zu nichtig.
„Sechs wegen Leistungsverweigerung!"
Wie ein Peitschenhieb schallt ihre klare und laute Stimme durch den Raum.
„Beim nächsten Mal wird es hoffentlich besser", meint sie, um Deeskalation bemüht, wieder etwas freundlicher zu Jörg. Ihre heimliche Hoffnung auf ein Ende des Streits erweist sich als Trugschluss.
Der Schüler starrt sie an, während sein Gesicht rot anläuft Seine Psyche spielt verrückt, die Steuerungsfähigkeit ist eingeschränkt. Aufspringend haut er mit der flachen Hand auf den Tisch, das polternde Geräusch rollt wie ein Donner durch den Klassenraum. Wütend reißt er seinen Rucksack hoch. Aus einer der Seitentaschen grapscht er ein Messer und lässt schnappend die Klinge aufspringen.

Keiner wagt zu atmen.
„Iihhh!“ tönt ein einzelner Ruf fast verzweifelt in die spannungsgeladene Atmosphäre. Der bedrohten Lehrerin fehlt jede Möglichkeit die Tür zu erreichen, zu lang ist der Weg. So weicht sie, schleichend rückwärts gehend und ihre Augen auf den Angreifer gerichtet, zum Fenster aus.
„Hilfe!“ haucht sie flüsternd mehr zu sich selbst.
Wie ein Phantom erscheint plötzlich ein Schatten im Gang zwischen den Stühlen. Addy hat sich erhoben.
Jörg dreht sich ungläubig um. Der Junge aus dem Jugendhof nähert sich ihm zielstrebig und zeigt keine Spur von Angst. Vermutlich kann er die tödliche Gefahr, in der er sich jetzt im Augenblick befindet, auch nicht richtig einschätzen. Wie ein Dampfhammer kracht blitzartig und ohne Ankündigung seine Faust in das Gesicht des Messerhalters. Zufall oder nicht, er trifft die Kinnspitze. Scheppernd fällt die Waffe auf den Boden. Jörg kippt, von dem Schlag taumelnd, zurück in die Bank, ehe er bewusstlos zusammenbricht.

Addy schiebt einen Stuhl zur Seite und stellte sich breitbeinig über den am Boden Liegenden. Kurz hebt er dessen Kopf an und lässt ihn wieder auf den Fußboden knallen. Dabei brabbelt er irgendetwas, aber keiner versteht seine dahingenuschelten Wortfragmente richtig. Emotionslos nimmt er das Messer auf. Es landet im Papierkorb.

Noch ehe die überraschten Schüler und ihre kalkweiße Lehrerin reagieren können, sitzt er wieder auf seinem Platz, so, als erwarte er gleich die nächste Aufgabe.

„Schulverweis, für beide, ohne Wenn und Aber!“
Walter Templin, klein, schmal, weißhaarig, als Oberstudiendirektor und Leiter des Kompetenzzentrums Nehberg Autorität ausstrahlend, knallte wütend seine Tasse auf den Tisch. Außer ihm saßen am Abend nach der Messerattacke

zwei weitere Personen im komfortabel eingerichteten Büro des Direktors, zum einen Dr. Scherer, groß, schlank und kahlköpfig, seines Zeichens Schulpsychologe. Im Gegensatz zu Templin wirkte sein Äußeres durch einen zerknautschten Sakko und dem offenen Hemdkragen leicht „unaufgeräumt". Direkt an seiner linken Seite hatte Dr. Jens Schubert Platz genommen. Schubert hob sich als blonder gut aussehender, korrekt gekleideter Mittdreißiger, Vertreter der „exekutiven Polizeigewalt", wie er sich gern scherzhaft zu bezeichnen pflegt, von seinem Nachbarn ab. Grund für seine Anwesenheit in dieser Runde war neben der „Messergeschichte" ein befürchteter Amoklauf.

„Eine Stunde lang haben wir gemeinsam den Jungen vernommen. Von ihm geht mit an Sicherheit grenzender Wahrscheinlichkeit nicht die geringste Gefahr aus. Nach Gesetzeslage handelt es sich hier eindeutig um einen Fall von Notwehr. Herr Kollege Scherer?"
Kopfnickend bestätigte der Angesprochene den Sachverhalt.
„Herr Kollege Schubert und ich stimmen in dieser Frage überein, Bei diesem Addy vom Jugendhof in Waldstedt hat die körperliche Entwicklung die geistige rasant überholt. Hier", ein verwaschener Zettel wurde über den Tisch geschoben, „nur ein Beispiel."
„sie sind lib", entzifferte Templin kopfschüttelnd.
„Wer unterrichtet in dieser Klasse eigentlich Deutsch?"
„Studienrätin Antje Carl. Im Übrigen hat sie uns ein sehr detailliertes Bild von seiner Psyche geliefert und damit unsere Einschätzung bestätigt. Seine Lehrerin verwandelt sich für ihn in jene mütterliche Bezugsperson, nach der er ein Leben lang gesucht hat und die ihm immer wieder vorenthalten wurde. Eine Mutter setzt ohne Bedenken das eigene Leben ein um ihr Kind zu schützen. Hier stellt sich der Fall genau umgekehrt dar."
Verstimmt über solche psychologische Belehrungen schüttelte Templin den Kopf.
„Und die Aussagen der beiden Klassenkameraden?"

„Verstanden haben die nur irgend ein gebrabbeltes ´en´ , ´erschießen´ ist lediglich ihre Deutung und eine Schlussfolgerung, von der sie längst wieder abgerückt sind. Dichtung oder Wahrheit, eindeutig Dichtung."
„Zeugenaussagen sind nicht unbedingt ein Abbild der Wirklichkeit."
Schubert lehnte sich entspannt zurück.
„Menschen sehen in bestimmten Situationen genau das, was sie sich einbilden. Darauf hatte sich schon Schopenhauer spezialisiert. Schüler reagieren nicht anders. Durch mediale Überflutung ist die Bereitschaft, Dinge wie ´Schießerei an Schulen´ wahrzunehmen, stark gestiegen."
„Oberlehrerhafte Vorträge über Psychologie und Philosophie helfen mir nicht weiter."
Templin funkelte über den Tisch seine Gesprächspartner böse an.
„Was schlagen Sie konkret vor?"
„Rowdy Jörg liegt im Krankenhaus. Diagnose: Platzwunde am Kopf und starker Bluterguss im Bereich der Kinnpartie. Unangenehm für den Betroffenen, aber nicht lebensgefährlich. Vorschlag: Ausschluss vom Unterricht wegen Gefährdung von Lehrern und Mitschülern. Anzeige und strafrechtliche Ermittlungen.
Addy: Anerkennung auf Notwehr! Im Rahmen der Anzeige wird der Fall noch untersucht werden. Gegen einen weiteren Schulbesuch bestehen keine Bedenken. Herr Kollege?"
Scherer signalisierte Zustimmung.
Templin schwankte.
„Von mir aus. Sie unterschreiben bitte ein Protokoll über unser Gespräch und Ihre Empfehlung. Ein Votum der Klassenkonferenz brauche ich auch."
Erschöpft und genervt schenkte sich Templin Kaffee ein.
„Tja, das wär's dann wohl."

Spät abends, nach der Sitzung im Schulgebäude, trafen sich die drei Mitglieder der „EP 8" im Haus von Jens Schubert und

Manuel Lüdders. Kein Jahr war es her, dass solche Zusammenkünfte im privaten Kreis wesentlich zur Aufhellung des spektakulärsten Kriminalfalls, der sich in dem beschaulichen Städtchen Nehberg je ereignete, beigetragen hatten. Zum richtigen „Ambiente" trug damals wie heute auch ganz wesentlich Manuels Kochkunst bei. Aufgabenteilung hatten die Partner gleich zu Beginn ihrer Beziehung penibel festgeschrieben. Manuel, Schuberts Lebensgefährte, übernahm die gesamten „innerhäuslichen" Arbeiten. *HWK*, Hausputz, Wäsche, Küche, war sein Revier. Mit dieser Festlegung kam er als überzeugter Hobbykoch gut zurecht. Schubert kümmerte sich als praktisch veranlagter Handwerker um Reparaturen, den Garten und die Finanzen.

„Falls Jens neue Herausforderungen sucht", pflegte Manuel gelegentlich zu spotten, „schlage ich Aktienhandel an der Börse vor. Von den erzielten Gewinnen könnte ich meinen Dienst am Gymnasium quittieren und er seinen bei der Polizei." Im Ernst dachten beide nicht daran, sie fühlten sich in ihrem beruflichen Umfeld wohl und übten ihre Jobs gern aus.

Heute Abend schien Manuel knurrig und abweisend. Gegenüber seinen „drei Bullen", wie er die Mitarbeiter der EP 8 mit charmanter Höflichkeit bezeichnete, wirkte er abgehetzt und nervös. Beim unkontrollierten Pendeln zwischen Küche und Wohnzimmer schnauzte er Eduard Vox an, weil der ihm im Wege stand. Eine völlig neue Erfahrung für den Überzeugungsjunggesellen.

„Herrn Studienrat wachsen die Schwierigkeiten der höheren Bildung über den Kopf", konnte Vox seine vorlaute Klappe nicht halten.

„Zwei Stapel Aufsätze aus dem zwölften und dreizehnten Jahrgang, dazu Ausarbeitungen für das Vorabitur. Morgen sechs Stunden Deutsch in wechselnden Klassen. Kann einer den Arbeitsumfang wenigstens annähernd einschätzen?"

Aus der Küche breitete sich ein appetitlicher Duft aus, Vox´ Augen begannen zu leuchten.
„Verpflegung von Kriminalbeamten ist höherwertig für die Sicherheit aller Bürger."
Manuel winkte ärgerlich ab. „Sicherheit, Sicherheit, wenn ich das schon höre. Ihr rührt wirklich nur in der Vergangenheit ´rum, sucht den Täter für einen Ermordeten, dem das alles nichts mehr nützt. Mein Auftrag heißt Zukunft. Darauf bereite ich junge Menschen vor. Auch eure Pension wird so durch mich gesichert, falls es genehm ist." - Mit den Worten „...mehr als Königsberger Klops ist heute aus Zeitgründen nicht drin", zog er sich zurück. Beim Hinaushasten drehte er sich um: „Falls hinterher Mokka gewünscht wird, gebt Bescheid. Unsere neue Kaffeemaschine kann vermutlich keiner anschalten, geschweige denn bedienen. Den Tisch zu decken, das schafft ihr vermutlich gerade noch allein."

Eduard Vox hockte nach dem Essen, zufrieden Mokka schlürfend, in der Sitzecke und hatte gerade seinen persönlichen Rekord aufgestellt. Fünf von Manuels „Klöpsen" , eine Völlerei, die sich nicht gerade gesundheitsfördernd auswirken würde, wie Schubert strafend anmerkte. Ab morgen sollten sie wieder gemeinsam im Mordfall Keil ermitteln. Detjen, ihr ungeduldiger Dienststellenleiter, musste Erfolge präsentieren. Auch er stand unter Druck.
„Wirklich, außer Spesen nichts gewesen", kommentierte Schubert seine Untersuchungen im Kompetenzzentrum.
„Bei dem Schüler", fuhr Schubert kopfschüttelnd fort, „der angeblich irgendwas wie ´Erschießen´ gemurmelt haben soll, handelt es sich um einen körperlich kräftigen, aber geistig zurückgebliebenen Jungen vom Jugendhof in Waldstedt. Addy heißt der Knabe. Ein eher bemitleidenswerter unbedarfter Junge. Wie soll der an Waffen herankommen? In der Zwischenzeit geben die zwei als Zeugen vernommenen Mitschüler zu, dass Addy bei der Szene im Klassenzimmer eine Silbe wie `den´ oder

´nen´ geäußert haben könnte. Sicher sind sich die beiden mittlerweile aber nicht mehr. Die Story stellt sich eher unspektakulär dar. Einen ganzen Nachmittag lang haben wir, Dr. Scherer, der Schulpsychologe, und ich, uns mit ihm und seiner Lehrerin unterhalten. Ausdrücke wie „Erschießen“ will er nie in den Mund genommen haben. Fest steht: Zu dieser Pädagogin, Antje Carl heißt sie, entwickelte er ein besonderes Verhältnis. Vorstellungsmäßig drängte er diese junge Frau in eine Art Mutterrolle und kompensierte damit das Fehlen einer Bezugsperson während seiner gesamten Kindheit. Folgerichtig versuchte er sie im Augenblick einer Gefährdung zu schützen. Ansonsten kann er keiner Fliege etwas zu Leide tun.“

„Na schön“, Vox rülpste leicht, „ntschuldigung, war nicht zu unterdrücken. Wir sind leider nicht viel weitergekommen. Herbert, du hörst dich doch gern reden, kannst du unseren Doktor ´mal einweisen?“

Grün zeigte mit einer grimmigen Miene wenig Bereitschaft. „Bin ich denn der Pressesprecher?“

Lebensgefährte Manuel stand überraschend in der Tür.

„Ohh! Herr Eduard Vox hat es tatsächlich geschafft, drei Tassen Mokka zu produzieren. Kompliment! Aber wenigstens das Geschirr hätte einer von euch abdecken können. Morgen gehe ich mit der Schlagzeile ‚Polizeigewalt beutet die Bildung aus‘ an die Presse. Noch Mokka?“

„Sehr gern“, Vox verzog genießerisch sein Gesicht.

„Könnten die Herren ausnahmsweise statt Getränkebestellung einen Überblick geben, was sich im Mordfall Keil getan hat?“ Schubert gab sich keine Mühe seine Ungeduld zu verbergen. Grün berichtete von ihren bisherigen Vernehmungen. Schubert interessierte sich besonders für das Verhältnis der Geschäftsführerin zu diesem vierschrötigen Fahrer des Gabelstaplers und seiner als Paradiesvogel verkleideten Tochter. - Es wurde spät an diesem Abend. Als sie gegen Mitternacht auseinandergingen, saß Manuel noch an den Aufsätzen der Klasse 11b.

Addy

Schubert wollte an diesem Vormittag schnell noch den Jugendhof in Waldstedt besuchen und sich dann mit dem Paradiesvogel Claudia unterhalten. Merkwürdigerweise hatte ihr Vater erst die Ermittlungen gesprengt, sich aber anschließend bei den Ermittlern Vox und Herbert Grün dafür entschuldigt. Zum Schluss bedankte er sich auch, weil seine beiden Kollegen von weiteren Schritten gegen ihn absehen wollten. Eine seltene Kette von Zufällen, aber an so viele Zufälle glaubte er als Soziologe kaum und als Psychologe erst recht nicht. Am besten setzte man bei diesem wie ein farbenprächtiger Papagei aussehenden Mädel an. „Erst der Jugendhof", entschloss er sich. Claudia konnte er auch später befragen.

Peter Baumann, Diplompsychologe und seit zehn Jahren Leiter dieses Heims zur Resozialisierung entwurzelter Jugendlicher, war wenig begeistert, als Schubert zum zweiten Mal dort auftauchte.
„Was wollen Sie denn noch wissen, mehr als wiederholen kann ich mich nun wirklich nicht."
Schubert schüttelte den Kopf.
"Heute hätte ich gern mit dem übrigen Personal gesprochen."
"Und wozu das alles? Diese Institution vertrete ich in der Öffentlichkeit, das sollte wohl reichen."
„Neben Ihnen gibt es noch drei Mitarbeiter, denen würde ich gern ein paar Fragen stellen. Dauert nicht lange."
Etwas ungehalten lenkte er ein:
„Schön, wen soll ich zuerst hierher beordern?"
„Hierher nicht, im Allgemeinen führe ich solche Gespräche unter vier Augen."
Baumanns Gesicht lief rot an, zischend atmete er die Luft ein.
„Choleriker", diagnostizierte Schubert.
Innerlich kochend, wies ihm Baumann mit einer Handbewegung den Nebenraum zu. Wortlos stürzte der Chef davon.

Lange Zeit passierte nichts, endlich erschien eine junge Frau. Vermutlich war sie auf dieses Gespräch vorbereitet worden, daher die Verzögerung.
„Karen Braun", stellte sie sich freundlich vor. „Seit zwei Jahren arbeite ich in dieser Einrichtung."
Auf Grund ihrer äußeren Erscheinung wäre sie wohl eher als jugendliche Heimbewohnerin durchgegangen. Lange blonde Haare, schlanke Figur, enge Jeans und einen Pulli in Neonfarben. Allein mit ihrem Oberteil zog sie die Blicke auf sich. Schubert wunderte sich etwas. Von Erzieherinnen in einem Haus mit sozialgeschädigten männlichen Bewohnern im Teenageralter hatte er eine etwas andere Vorstellung. Seine Fragen beantwortete sie aber klar und deutlich.
Beim Namen Addy veränderte sich ihre Mimik. Eine Mischung aus Unsicherheit und Angst, kaum wahrnehmbar, aber für einen erfahrenen Seelendetektiv, wie er sich zynisch selbst gelegentlich nannte, deutlich zu erkennen. Überrascht wurde er an eine fast gleichaltrige Referendarin aus seinem Fall Schulkatakombe erinnert, Maren Greinert. Leider war sie auf tragische Art in einem tiefen Bunker unter der Berufsschule ums Leben gekommen.

Ohne Begründung und mehr aus dem Bauch heraus beschlich Schubert ein ungutes Gefühl bei diesem attraktiven Model - Typ, warum auch immer. Vielleicht, weil ihre äußere Hülle so gar nicht dem Bild einer pädagogischen Respektsperson der Jugendhilfsorganisation entsprach. Außerdem konstatierte er bei ihr insgeheim einen Anflug von Naivität, was vielleicht auch auf ihr Alter zurückzuführen war. Allein dürfte sie in diesem System mit jugendlichen Rabauken schwer zurechtkommen. Eine solche Person brauchte eine starke Figur im Hintergrund, vermutlich Baumann in Beschützerposition?
Informationsgehalt ihrer Befragung - null. Angeblich lief der gesamte Betrieb seit ihrer Ankunft ohne Störungen und es hatte sich auch nichts ereignet, was eine Erwähnung wert gewesen

wäre. Kaum vorstellbar in einer solchen sozialen Einrichtung mit pubertierenden jungen Männern!

Lautes Klopfen unterbrach Schuberts Überlegungen.
Auf sein „Herein“ trat eine Art Feldwebeltyp ins Zimmer. Was für ein Kontrast zu der Person, die er eben vernommen hatte. Die Frau, die zielsicher auf ihn zu marschierte, mochte dreißig oder älter sein, schwer zu schätzen. Zuerst fiel ein großer Busen auf, dann die gesamte korpulente Figur. Zwei Warzen im Bereich der linken Gesichtshälfte oberhalb der breiten Wangenknochen zogen automatisch die Blicke auf sich. Nicht gerade eine Schönheit, sondern ein herrischer Typ, der sich durchsetzen konnte.
„Entschuldigen Sie, dass ich mich vorstelle. Mein Name ist Schubert von der Polizeiinspektion Nehberg.“
„Ach, Sie waren doch schon gestern hier. Gestatten: Theresa Walberg, Studienrätin, Alter 36, aus dem Schuldienst auf eigenen Wunsch zur Betreuung hierher abgeordnet, Zögling Addy ist bisher nicht störend in Erscheinung getreten und macht auch sonst keinen Ärger, allgemeine Einschätzung-verhaltensunauffällig. Sonst noch Fragen?“
Schubert war für einen Moment sprachlos. Dann nickte er der jungen Frau zu, die er gerade befragt hatte.
„Frau Braun, Sie können gehen.“
Leichtfüßig und ganz offensichtlich erleichtert trippelte die so Angesprochene aus dem Raum.
Theresa Walberg angelte sich ohne Aufforderung einen Stuhl, drehte ihn so, dass sie hinter der Lehne sitzen konnte und hockte sich breitbeinig hin.
Ein erfahrener Psychologe wie Schubert ließ sich nicht reizen. Stur geradeaus schauend schwieg er mit provozierender Ruhe und Gelassenheit in der Hoffnung, dass er die besseren Nerven hätte.
Seine Rechnung ging auf.
„Wollten Sie nicht mit Ihrem Verhör fortfahren?“

Ihre näselnde Stimme und ein breit gezogener grinsender Mund deuteten an, dass sie die ganze Sache nicht sonderlich ernst nahm.
„Würden Sie zuerst mir gegenüber Platz nehmen und die Sitzgelegenheit so drehen, dass Sie die Lehne im Rücken haben?"
„Der Altachtundsechziger Fritz Teufel hätte geantwortet: `Schön, wenn´s der Wahrheitsfindung dient.`"
Knurrend folgte sie seiner Anweisung. Wortlos saßen sie sich danach gegenüber. Schubert fixierte sie scharf und starrte sie durchdringend an. Ohne sich beeindrucken zu lassen oder eine Spur von Angst beziehungsweise Verlegenheit zu zeigen, hielt sie seinem Blick stand.
„Pupillarische Sicherheit, starker Charakter, durchsetzungsfähige Persönlichkeit", konstatierte er in einer Blitzanalyse. Eine sprudelnde Informationsquelle war sie gerade nicht. Zähflüssig plätscherte die Befragung am Rande der Toleranzgrenze. Kein Satz aus eigenem Antrieb, keine Vokabel zuviel, jedes Wort musste man ihr aus der Nase ziehen. Angeblich hatte sich in dieser Umgebung in den letzten Jahren nichts Wesentliches ereignet.
„Und dieser Achtzehnjährige, der an einer Kopfwunde im Kartoffelkeller verblutet ist? Ist das kein gravierendes Ereignis?"
„Ach Sven? Was heißt hier Ereignis? Der arme Junge ist auf den Treppenstufen ausgerutscht und hingeknallt. Dafür sind wir nun wirklich nicht verantwortlich zu machen. Es war einfach tragisch, irgendwie." Schubert meinte in ihrem Gesicht so etwas wie Trauer oder eher Betroffenheit zu entdecken, was nicht so recht zu ihrem sonst so harschen Auftreten passte.
Baumann steckte seinen Kopf durch die Tür.
„Resi, ich brauch´ dich dringend für die Gruppe zwei. Geht das?" fragte er in Richtung Schubert.
„Wir sind fertig, kein Problem."
Im Gegensatz zu dieser Karen Braun marschierte die füllige Frau selbstbewusst wie ein Spieß auf dem Kasernenhof an ihm vorbei.
„Dann sind Sie mit Ihrer Ausforschung durch", stellte der immer noch nervös dreinblickende Heimleiter fest.

„Mit diesem Georg Bruck, Ihrem Hausmeister, würde ich mich auch gern unterhalten.“
„Was wollen Sie denn von dem noch erfahren? Mehr als die anderen kann der Ihnen doch auch nicht berichten. Außerdem – er ist ein einsamer alter Mann und erledigt seine Aufgaben, die ihm übertragen werden. Aber, na ja, so allein und ohne Familie, da kann man schon leicht in Probleme abgleiten.“
„Sie meinen Alkoholprobleme?“
„Wie gesagt, er macht seine Arbeit und beklagen kann ich mich nicht. Wenn Sie unbedingt darauf bestehen, vorbeischicken kann ich ihn. Neue Dinge werden Sie kaum hören. Was in seiner Umgebung passiert, ist ihm verhältnismäßig gleichgültig.
Wenig später trat ein Mann mit Filzhut und grauem Arbeitskittel ein. Mittelgroß, zeigte er einen leichten Bauchansatz und fiel durch seine langsame ruhige Sprechweise auf.
Allerdings, abgeschlafft oder resigniert wirkte er eigentlich nicht, wie Schubert durch einen kurzen Inspektionsblick feststellte.
„Tach auch“, der gelüftete Hut gab einen Kranz grauer Haare frei.
„ Bruck, Georg Bruck. Sie wollten mich sprechen?“
„Nehmen Sie Platz, ich habe nur ein paar Fragen wegen Addy.“
Bruck blieb stehen und trat unruhig von einem Fuß auf den anderen.
„Ist was?“
„Eigentlich nicht, es ist nur so, gegen elf Uhr brauche ich immer meinen Kaffee, ich bin so dran gewöhnt.“
„Ach, dann holen Sie sich doch eine Tasse.“
„Den brühe ich in meiner Wohnung, wegen der Sorte. Auch einen mittrinken?“
Schubert sah ärgerlich zur Uhr. Längst hätte er bei der Firma WAKE diese Claudia mit dem Papageienoutfit vernehmen müssen. Ohne zu wissen warum, hatte er plötzlich eine Art Eingebung. Zwangsläufig dachte er an den Fall der Schulkatakombe. Bei Aufklärung dieser rätselhaften Morde im Schulbunker war es ihm ähnlich ergangen. Aus Gründen, die ihm

heute noch immer nicht klar waren, hatte er damals einen Studiendirektor befragt und damit wichtige Spuren gefunden. Intuitiv vermutete er, dass ihm der Kontakt zu diesem Menschen neue Einblicke vermitteln könnte.
„Mir dürfen Sie eine solche Frage nicht stellen, ich nehme an."
„Prima, Polizist und so viel Humor, eine rühmliche Ausnahme."
Bruck bewohnte unter dem Giebel des Gutshauses eine winzige Zweizimmer-Wohnung. Schubert wusste im Voraus, in welchem Zustand sich Behausungen von alkoholkranken Personen befanden. Diesmal wurde er enttäuscht. Obwohl dieser Hausmeister nicht auf einen Besuch vorbereitet war , befand sich die Wohnung in einem penibel aufgeräumten Zustand. An der Wand ein Regal, voll gestopft mit Büchern. „Kempowski – Im Block", las Schubert auf einem Buchrücken.
„Is doch einer aus der Gegend, nich", meinte sein Gastgeber, während er mit der Kaffeemaschine hantierte.

Als sie sich an dem kleinen schmalen Tisch gegenübersaßen, wurde Schubert sehr schnell einiges klar. Dieser Mann lebte hier oben ohne Familie, wie er erfuhr, in einer Art selbst gewählter Isolation. Vielleicht erklärte das Fehlen von Kontakten auch die Abhängigkeit vom Alkohol. Trotzdem, ein dumpfer Säufer, der entrückt dahinvegetierte, war er nicht. Im Gegenteil. Schubert musste unwillkürlich an Max Frisch und seine Physiker denken, die vor der Welt in eine Irrenanstalt geflüchtet waren. Schutzschild dieser Person bildete seine nach außen gespielte Rolle als Hausmeistertrottel.
„Sie sind so nachdenklich, ich passe wohl doch nicht in das Schema, das Baumann von mir weitergegeben hat. Wissen Sie, ich bin im Leben oft gescheitert, aber nicht daran zerbrochen. Mein Studium habe ich geschmissen, wegen Trunksucht. Lange Zeit konnte ich mich mit Gelegenheitsjobs über Wasser halten. Längst verpasst war der Zeitpunkt für eine Partnerschaft und Familie, als ich vor zehn Jahren durch einen Zufall in diese Einrichtung gekommen bin. Das Leben ist bunt. Für den Rest bin ich

abgesichert und sogar leidlich mit mir zufrieden. Mein Gott, warum erzähle ich Ihnen das alles?“
„Sicherlich weil Sie keinen anderen Menschen kennen, der Ihnen zuhören würde und dem Sie vertrauen.“
„Richtig, so isses!“ Erstaunt über so viel Verständnis blickte er ihn an.
„Wie kommen Sie denn mit den Heiminsassen zurecht?“
„Alle, die hier rumlaufen, sind doch irgendwie verkorkste Bengel. In mir sehen sie den Alkoholiker, den Alten, der nichts zustande gebracht hat. Ob Sie das glauben oder nicht, so etwas schafft Solidarität. Wenn ich Anweisungen gebe, werden sie meistens ohne Murren befolgt.“
„Haut das mit der Disziplin immer so hin?“
„Bei unserer Resi Walbaum ja. Die kommandiert wie in einer Strafkompanie, weist an, schnauzt rum und staucht zusammen. Selbst Baumann kann sich nicht in gleicher Weise durchsetzen wie diese Walküre.“
Schubert wunderte sich über die eher gehobene Ausdrucksweise dieses angeblich „dementen Alkoholikers“. Wieder war es sein Gefühl, eine Art Intuition, die signalisierte, dass er jemand gegenüber saß, der über Dinge berichten wollte, die er sonst keinem erzählen konnte. Entspannt zurückgelehnt an seinem Kaffee nippend, wartete er ruhig ab, bis Georg Bruck langsam weitersprach.
„Unsere Karen Braun, die Jungen nennen sie ´kleine Mieze´, wird von niemand ernst genommen. Größere Kerle steigen ihr hinterher, fassen sie auch mal an, und, na ja, also…., Steigerungen gibt es auch noch. Wenn die nicht den Baumann im Hintergrund hätte, das unbedarfte Mäuschen wäre längst gescheitert.“
Minutenlang hielt er seinen Blick gesenkt.
„Mit Sven war das so eine Sache“, begann er überraschend. „Ein guter Junge, wirklich, gehörte eigentlich nich´ hier her.“
Schweigen und abwarten, verordnete sich der Psychologe im Polizisten.

„Die Kleine und er, tja, beides junge Leute, sie sind da halt so reingerutscht. Keine Ahnung warum, mir haben sie vertraut und ich habe ihnen geholfen. Wo sollten sie denn sonst, ich meine, ohne dass es rauskommt? Stammte von mir, die Idee mit dem Keller."

Schubert versuchte verzweifelt, Teile dieses bruchstückhaft erzählten Puzzles zu einem verwertbaren Ganzen zusammenzufügen. Dieser Bruck wollte offensichtlich einiges loswerden, aber warum?
„Gedankt hat sie mir das nie", Bruck setzte seine Tasse ab und schwieg.
„Vor dem Baumann oder der Walberg kriecht sie, bei den jungen Leuten kann sie sich nicht durchsetzen. Aber an mir, an mir lässt sie alles aus, da ist sie mutig. Ich bin ja kein vollwertiger Mensch, für die jedenfalls nicht."
Lange musste Schubert überlegen, bis er herausfand, dass Bruck vermutlich das „Püppchen" Karen Braun meinte.
„´He Bruck, guck ´mal in die Toiletten, die sehen aus wie Sau. - Bruck, der Hof müsste wieder gefegt werden, was machst du bloß den ganzen Tag? Ein Waschbecken ist verstopft, deine Aufgabe!´"
Schubert konnte sich gut in die Lage dieses gedemütigten Mannes versetzen.
„So spricht eine Person von Mitte zwanzig, die aussieht wie achtzehn un´ Keks, mit einem gestandenen Mittfünfziger. Ihr Vater könnte ich sein."
Beide schwiegen in einer langen Pause.
„Nichts sagen, keine Fragen, abwarten", zwang sich Schubert zur Ruhe. Er wurde nicht enttäuscht.
„Den Posten hat sie Baumann zu verdanken. Eines Tages schleppte der die Lady an, weil sie angeblich neue Erziehungsverfahren einführen wollte.

Lachhaft, bei dem im Bett ist sie bestimmt gut, aber erziehen, die? Keine Ahnung hat se, wie man mit Jugendlichen umgeht." Und dann unvermittelt:
„ Kaffee?" Schubert hielt seine Tasse hin.
„Einer unserer Jungs ist immer hinter ihr hergelaufen."
„Addy?" platzte es aus Schubert heraus.
Bruck nickte.
„Mich hat sie gefragt deswegen. Ach", er winkte mit der Hand ab, „lass ihn, hab ich ihr empfohlen, der ist harmlos. War er ja auch, na ja, wenigstens ungefähr.
Wenn sie einen Rat brauchte, kam sie zu mir, nicht zu den anderen beiden. Dafür war ich gut. Danach spielte sie wieder die überhebliche Erzieherin, die den alten Hausmeister rumscheuchen konnte."
Länger als geplant blieb Schubert beim Kaffee sitzen. Ohne eine einzige Frage zu stellen, erfuhr er eine Menge über das Innenleben dieser Institution und der rätselhaften Ereignisse , die sich vor längerer Zeit im Keller unter dem Jugendhof angeblich abgespielt hatten.

Als er am frühen Nachmittag das Gelände verließ, nahm keiner auch nur die geringste Notiz von ihm. Sein Wagen stand, vor Blicken gut geschützt, unter einer Baumgruppe hinter der Scheune des ehemaligen Gutshauses. Von Baumann und seinen beiden Erzieherinnen war weit und breit nichts zu sehen. Woher sollten sie auch ahnen, dass ausgerechnet der von ihnen als „Trottel" verspottete Hausmeister über Dinge plaudern würde, deren Zusammenhänge er, nach ihrer Auffassung, nie begriffen hatte und auch nie begreifen würde?

Schubert fuhr auf direktem Wege zur Firma von Walter Keil, mit dem Wagen dauerte die Fahrt nur wenige Minuten. Herbert Grün war gerade dabei, diesen Gabelstaplerfahrer in der Versandhalle zu besuchen. Schubert meldete sich ordnungsgemäß im Vorzimmer der Geschäftsleitung an, um Ärger zu vermeiden.

Heike Blanken erschien höchstpersönlich und begrüßte ihn kühl und distanziert.
„Gespielt", Schubert ließ sich nicht täuschen. Blasse rosarote Flecken auf ihrem Gesicht verrieten eine gewisse Anspannung oder innere Erregung. Seine äußere Erscheinung beeindruckte die meisten Frauen, wie er nicht zum ersten Mal feststellte. Dabei war seine feste Beziehung zum Lebenspartner Manuel mittlerweile in und um Nehberg bekannt.
„Na schön", dachte er in Abwandlung eines bekannten Ausspruchs, „wenn´s den Ermittlungen hilft."
„Ich würde mich gern noch einmal mit der Auszubildenden Claudia Esser unterhalten, es wird nicht lange dauern."
„Aber selbstverständlich", die Blanken schien Kreide gefressen zu haben.
„Cornelius!"
Der Angesprochene sprang auf.
„Halte dich bitte zur Verfügung von Herrn Doktor Schubert!"
Ehe sie aus dem Vorzimmer verschwand, drehte sie sich um. „Tut mir leid, meine Zeit ist etwas knapp bemessen. Der Kampf um Marktanteile in unserem Bereich ist nicht einfach."
Schubert lächelte sie an. Jetzt konnte sie ihre Verlegenheit nicht länger verbergen. Mit rotem Kopf lächelte sie zurück, ehe sie eilig in ihr komfortabel eingerichtetes Büro huschte.
„Kaffee, Tee, Kuchen, was darf ich servieren lassen?" Cornelius Müller, Chef des Vorzimmers, triefte fast vor Untertänigkeit. Schubert konnte sich diese Art von dienender Höflichkeit nicht erklären und blieb zunächst misstrauisch.

Fast zeitgleich mit dem Servierwagen tauchte ohne anzuklopfen Claudia Esser auf. Vox und Grün hatten die äußere Erscheinung des Mädchens zwar beschrieben, trotzdem war Schubert für einen Moment sprachlos. So ein schrilles Outfit hatte er nicht erwartet.
„Mensch, so ein geiler Typ als Bulle?"
„Würden Sie sich erst einmal vorstellen?"

„Kein Humor, der Kerl“, schimpfte sie vor sich hin.
„Esser“, knickste sie vor ihm um die Sache lächerlich zu machen und nahm in aufreizender Pose auf einem der Stühle Platz. Ganz offensichtlich hatte sein bestimmtes Auftreten den Eindruck nicht verfehlt. Schubert erwartete ein mühseliges Frage – Antwort - Spiel, doch durch seine psychologisch geschickte Gesprächsführung lockerte die junge Dame nach und nach sichtlich auf. Fast schien es, dass sie froh war, sich einmal aussprechen zu können. Die Tatsache, dabei einem Polizeibeamten gegenüberzusitzen, schien diese verdrehte Person nicht im Geringsten zu stören. Claudia sprach mit ungeschminkter Offenheit über ihre erotischen Abenteuer mit dem verstorbenen Unternehmenschef. Gelegentlich musste er sogar zu mehr Sachlichkeit mahnen, wenn sich ihre Schilderung zu sehr in sexuellen Einzelheiten verlor.

Keil selbst hatte diese Auszubildende als „seine Fleischreserve“ bezeichnet, die immer dann reaktiviert wurde, wenn keine seiner sonst so zahlreichen Damenbekanntschaften verfügbar war. Auch das Rätsel ihrer bunten Aufmachung löste sich. Der alte Gockel liebte einfach die Abwechslung.
Aus der Liste seiner weiblichen Favoriten hob sich diese auffällig markierte Claudia deutlich ab. Keil war von dem Aussehen der „Karnevalsprinzessin“ total fasziniert gewesen. Wahrscheinlich der Grund, warum ein solches Verhalten in der sonst streng hierarchisch geführten Firma ohne Kritik geduldet wurde.

Schubert musste die Unterredung zwangsweise beenden, um sich eine weitere Aufzählung ihrer Liebhaber und deren Qualitäten zu ersparen.
Claudia schien davon wenig angetan, seine Aufforderung: „Sie können gehen!“ ignorierte sie und blieb demonstrativ sitzen. Erst als er die Tür öffnete, erhob sie sich widerwillig und bequemte sich maulend den Raum zu verlassen.

„Falls du mich mal zum Essen ausführen willst, für dich hätt´ ich immer Zeit."
„Für Sie!" korrigierte Schubert und reagierte nicht weiter, als sie, hinterhältig grinsend und ihre Reize zur Schau stellend, an ihm vorüberschlenderte.

Dr. Braun, Leiter der Personalbteilung der WAKE GmbH, war ein höflicher, durch und durch korrekter Mensch. Schuberts Fragen nach den in der Firma beschäftigten Auszubildenden beantwortete er zügig, wobei sein Pokergesicht nicht die geringste Regung anzeigte. Lediglich bei Auskünften nach den amourösen Abenteuern seines ermordeten Chefs wich er unverbindlich diplomatisch aus. Selbst jetzt, nach dem Tod des Firmenpatriarchen, konnte er seine Angst, darüber zu sprechen, nur unvollkommen verbergen.

Dafür fuhr Schubert wie elektrisiert auf, als der Name Marina fiel. Dieses junge Mädchen war, wie er erfuhr, vor wenigen Tagen durch Freitod mit Tabletten aus dem Leben geschieden. Wie ein sich drehendes Mühlrad kreisten die Gedanken durch seinen Kopf. Der Hausmeister im Jugendhof hatte zwar eher beiläufig, etwas von einem Heimzögling Frank erwähnt, dessen Freundin genauso hieß. Irgendwie tauchte der Name Addy in diesem Zusammenhang erneut auf. Wegen des Mädchens war es zu einer Schlägerei gekommen, in die Addy verwickelt gewesen sein sollte. Leider konnte sich Schubert nicht mehr so genau erinnern, weil er diese Details als nicht relevant betrachtet hatte und nur mit halbem Ohr bei der Sache war. Schubert erschienen die Ereignisse wie zwei Brückenbogen, die langsam aufeinander zuwuchsen. Nur schließen konnte er sein fiktiv konstruiertes Bauwerk trotz angestrengter Gedankenspiele nicht.
„Langweile ich Sie?"
Dr. Braun hatte bemerkt, dass sein Fragesteller ihm nicht mehr die nötige Aufmerksamkeit schenkte.
„Nein, nein, ich musste nur angestrengt über etwas nachdenken."

Dankend verabschiedete er sich und entschied, seine Befragung zu beenden und die überraschend neuen Informationen nochmals zu prüfen.
„Fast ein Kreuzworträtsel", dachte er, leider fehlten noch einige Spalten zur Lösung. Auf jeden Fall müsste ein weiteres Gespräch mit dem Hausmeister im Jugendhof stattfinden.

Manuel schien diesmal etwas mehr Zeit zu haben, als, wie verabredet, die drei „Bullen", wie er sie scherzhaft nannte, in Schuberts Haus zum Abendessen einfielen. Mit den Worten „kulinarische Überraschung" verschwand er geheimnisvoll lächelnd in der Küche.
Eduard Vox hatte den Tag genutzt und das häusliche Umfeld des ermordeten Firmeninhabers der WAKE GmbH ausgeforscht. Seine Frau wollte eine Unterredung nur in Gegenwart ihres Anwalts führen. Vox hatte nichts dagegen und würde die Befragung auf später verschieben.

Herbert Grüns logische Betrachtungen bewegten sich auf einem anderen Gleis. Mit seinen „konzentrischen Kreisen", in die er alle relevanten Fakten eintrug, versuchte er Auffälligkeiten und Gemeinsamkeiten betroffener Personen herauszufinden. Bei den spektakulären Leichenfunden vom letzten Jahr im Ermittlungsfall der Schulkatakombe konnte er damit einige Erfolge verbuchen. Diesmal fokussierten sich seine Verdachtsmomente auf die Beziehung zwischen der neuen Geschäftsführerin und dem Gabelstaplerfahrer aus der Lagerhalle.
„Wenn sich das Verhältnis mit diesem Berufsboxertyp bewahrheiten sollte", Grün strich nachdenklich mit der Hand übers Kinn , „.....dann, tja."
„Was dann?"
„Es wäre ein Grund den Störenfried aus dem Weg zu räumen, oder?"
„Welchen Störenfried denn?"
„Na, den Boss!"

„Verrückte Idee."
„Nicht so verrückt, als dass sie nicht durchführbar wäre. Stell´ dir Muskelprotz Esser vor. Der könnte doch mühelos Walter Keil gepackt und mit dem Kopf auf die Betonkante gedonnert haben? Morgen früh werde ich mir diesen Burschen erneut vornehmen und am Abend der Blanken unauffällig folgen."
„Wozu?"
„Was, wenn sie nicht in ihr Haus fährt, sondern zu ihrem Liebhaber, falls die Hypothese von den beiden stimmt? Denk´ an die Schulkatakombe. Dort haben wir im letzten Jahr durch meine heimliche Verfolgung immerhin herausgefunden, dass die Frau Doktor eine Beziehung mit einem der Referendare unterhielt. Für die Lösung des Falles war diese Erkenntnis sehr hilfreich."

Erst als Manuel seine kulinarische Überraschung in Form einer Fleischplatte auftrug, wurden Herbert Grün und Eduard Vox auf Schubert aufmerksam. Seiner Umwelt völlig entrückt, starrte der angestrengt vor sich hin und schien sich in eine Idee verbissen zu haben.
„Was ist eigentlich mit dir los? Hast du wenigstens zur Kenntnis genommen, wie Herbert und ich ab jetzt den Fall Keil aufrollen wollen?"
Vox sah Schubert fragend an, während er genießerisch in die Luft schnupperte, um den Duft des gegrillten Fleisches aufzunehmen.
„Ja, hab´ ich, ist schon in Ordnung, spürt ´mal schön weiter der Blanken hinterher. Morgen muss ich dringend noch einmal zum Jugendhof. Es gibt da ein paar Ungereimtheiten."
„Mensch, Detjen, unser Chef, braucht Ergebnisse so nötig wie ein Kranker seine Medizin und du verplemperst Zeit mit Salongesprächen über einen geistig zurückgebliebenen Fünfzehnjährigen. Gibt es da einen Zusammenhang?"
„Möglicherweise schon, es stellt sich wie eine Fahrt auf der Autobahn dar, interessante und wichtige Dinge liegen nicht direkt an der Fahrbahn, sondern rechts und links davon."

Herbert Grün und Eduard Vox schauten sich kopfschüttelnd an. Möglicherweise stand ihr Chef oder „Bullendoktor“, wie sie ihn scherzhaft nannten, in letzter Zeit etwas neben sich. Trotzdem, unglücklich darüber waren sie nicht. Sollte der sich ruhig weiter mit den Eigenarten von verhaltensgestörten Jugendlichen beschäftigen. Sie hatten gemeinsam eine heiße Spur in der Mordaffäre Keil entdeckt und waren diesmal fest davon überzeugt, den Fall auch ohne Hilfe ihres Teamleiters bald lösen zu können.

Zum Glück kompensierten die Grundbedürfnisse alle weiteren Überlegungen, als Schuberts Lebenspartner Manuel Salzkartoffeln und Pilzsauce auf den Tisch stellte. Vox verkniff sich spitzfindige Kommentare. Sein zufriedener Gesichtsausdruck verriet, dass er keine Lust hatte, sich für heute weiterhin mit einem Mordfall zu beschäftigen.

Eine Besprechung über die Einsatzplanung für die nächsten Tage im Anschluss an ihr üppiges Nachtmahl verfolgte Schubert nur oberflächlich. Mit sichtbarem Desinteresse saß er grüblerisch in seinem Sessel und nippte gedankenverloren am Mokka. Vox und Grün kannten ihren Kollegen. In einer solchen Situation ließen sie ihn einfach in Ruhe und irgendwann würde er dann eine Idee produzieren. Sie hatten mittlerweile ihre eigene, wie sie meinten, Erfolg versprechende Theorie entwickelt und würden, wenn alles gut ging, in Kürze mit an Sicherheit grenzender Wahrscheinlichkeit einen Täter präsentieren können.

Schubert, so einigte man sich, sollte morgen noch Befragungen im Jugendhof führen. Grün und Vox beschlossen, Heike Blanken und den vierschrötigen Gabelstaplerfahrer Esser mit den bisher ermittelten knallharten Fakten zu konfrontieren.

Als man kurz vor Mitternacht auseinanderging, saß Manuel noch über einem Stapel von Aufsätzen. Vox, der keine Gelegenheit ausließ, über die hoch bezahlten und freizeitorientierten Erzieher zu lästern, verabschiedete sich bereits zum zweiten Mal sehr nachdenklich.

Grün und Vox kamen am nächsten Tag bei ihren Ermittlungen nicht recht weiter. Adressen der Blanken und ihres Bodyguard - Typs Esser hatten sie sich für alle Fälle schon notieren lassen. Ihre so genannten „knallharten Fakten" dagegen zerplatzten wie Seifenblasen. Heike Blanken verbat sich energisch jede Verdächtigung über ein Verhältnis mit Esser. Wütend drohte sie juristische Schritte wegen übler Nachrede an. Außerdem machte sie süffisant darauf aufmerksam, dass auch ihr Privatleben durch das Grundgesetz geschützt sei. - Entnervt gaben beide Ermittler schließlich auf, die Betroffenen in dieser Angelegenheit weiter so offen zu befragen.

Ausgerechnet eine Person, von der sie absolut keine Hilfe erwartet hatten, tauchte plötzlich auf. Während einer Kaffeepause am frühen Nachmittag klopfte es und auf ihr „Herein" spazierte Essers Tochter Claudia ins Zimmer. Enttäuscht sah sie in die Runde.
„Iss der nette Polizist von gestern nicht dabei?"
„Dr. Schubert? Leider nein", Vox schüttelte verärgert den Kopf, „wenn Sie eine Aussage machen wollen, müssen Sie schon mit uns zufrieden sein."
Irritiert schien sie zu überlegen.
„Habt ihr auch´n Kaffee für mich?"
„Ja,...... ja bitte", Grün schenkte überrascht ein.
Was konnte diese auf sexy getrimmte junge Dame bewegen, freiwillig in ihrer Runde zu erscheinen?
„Keine Fragen, sich zurücknehmen und abwarten", dachte er , während Claudia schlürfend an ihrer Tasse nippte. Mindestens zehn Minuten saß das auffällig gekleidete Mädchen ihnen grübelnd gegenüber und trank in dieser Zeit mehrere Tassen Kaffee aus. Grün verlor schließlich die Geduld und trommelte

nervös mit den Fingern auf die Tischplatte, während Vox völlig gelassen Blickkontakt suchte, so, wie Jens Schubert ihm das beigebracht hatte.
„Und der andere Kollege kommt heute wirklich nicht mehr?"
„Doktor Schubert ist leider verhindert."
Ebenso plötzlich wie sie erschienen war, sprang sie auf. Mit den Worten „ach Scheiße, ich hab´s mir anders überlegt", hastete sie aus dem Raum und ließ die beiden Ermittler sprachlos zurück. Beide rätselten lange darüber, ob sie etwas Wichtiges mitteilen wollte oder nur den Wunsch hatte, Schubert wiederzusehen.
„Jens soll sich diese Lady noch einmal vorknöpfen. Sicherlich ist sie in seiner Nähe gesprächiger, anders als bei uns alten abgeschlafften Polizeihengsten", resignierte Vox.
„Gilt nicht für mich", Grün richtete sich zu voller Größe auf und atmete tief durch. „Mach´ ich einen abgeschlafften Eindruck?"
Vox winkte ab. „Egal, was du glaubst, die Pulsfrequenz dieser flatterhaften Siebzehnjährigen wird beim Anblick von Schubert sicherlich stärker beschleunigt als in Gegenwart von Herrn Grün. Sieh man lieber zu, dass du die Überwachungsfahrt der Blanken heute Abend vorbereitest und ein paar Zusammenhänge herausfindest."
„Wenn du nur ordentlich lästern kannst", knurrte Grün gutmütig zurück.

Während sich seine Kollegen auf dem Gelände der WAKE GmbH in den Niederungen des Ermittlungsalltags bewegten, saß Schubert in seinem Büro des Polizeigebäudes und versuchte verzweifelt grübelnd, zwei Enden eines Gedankenganges wie ein loses Seil miteinander zu verknüpfen. Andeutungen des Hausmeisters hatten ihn auf die Verbindung Addy – Frank – Marina gebracht. Diese Marina war nach vorliegenden Erkenntnissen freiwillig aus dem Leben geschieden. Eine vernünftige Erklärung für den Freitod dieses Mädchens gab es bisher nicht. Welche Rolle spielte Addy? Schubert vertraute in diesem Spiel fast mehr seiner Eingebung als den knallharten

Fakten, mit denen sich Vox und Grün im gleichen Zeitraum in der Firma des ermordeten Keil herumschlugen.
Als Junge hatte er Baumstrunken mit seinem Vater gerodet. Immer wenn sie dachten, alle Enden gekappt zu haben, hing der Stumpf noch an einer weiteren nicht sichtbaren dicken Wurzel fest. So ähnlich war die Situation mit Addy, dem gutmütigen geistig zurückgebliebenen Jungen aus dem Jugendhof. Sein gesamtes Umfeld schien ausgeforscht und trotzdem hatte er das Gefühl, Kleinigkeiten übersehen zu haben. Das Ganze ähnelte einem Hypertext im Internet, der mit jedem Link Ausblicke auf ein neues, unbekanntes Terrain freigab. Nur finden musste man diesen verborgenen Ausgang.
Wie Billardkugeln, die nach raschem Stoß zwischen den Banden hin und her rollen, spukten Gedanken durch seinen Kopf. Leider waren sie nicht fassbar.
Lange saß er reglos da, stierte auf die Tischplatte und dachte mit zusammengekniffenen Augen nach. Überraschend konnte er jählings zwei der imaginären Seilenden, die er als Hypothesen gedanklich gespeichert hatte, ansatzweise verknüpfen. Seine vagen Vermutungen verdichteten sich mehr und mehr zu einer Einheit. Der ermordete Keil, aber auch dieser Sven Tillich, der im Keller des Jugendhofes den Tod gefunden hatte, waren beide durch Platzwunden im Bereich des Kopfes gestorben.

Ruckartig fuhr er vom Schreibtisch hoch.
Unvermittelt musste er an den Vorfall mit dem angeblichen Amoklauf in der Berufsschule denken und an eine Bemerkung des Schulpsychologen über die Art der Verletzung am Kopf des Schülers Jörg. Neben einem Hämatom am Kinn wurde bei ihm eine Platzwunde im hinteren Schädelbereich diagnostiziert.
Enttäuscht lehnte er sich in seinen Sessel zurück. Wo war ein Zusammenhang mit dem Tod von Keil? Vox und Grün lagen wahrscheinlich richtig, wenn sie im Umfeld der betrieblichen Mitarbeiter suchten. Trotzdem! Sein Bauchgefühl, seine intuitiven Vermutungen, hatten ihn bisher noch nie im Stich gelassen.

Lautes Klopfen unterbrach die Denkspiele. Mit nassforschem Schritt marschierte Chef Detjen ins Zimmer. Schubert erwiderte sein joviales „Hallo“ mit unterkühlter Begeisterung.
„War ja wohl nichts, mit dem Amoklauf in der Schule“, begann sein Vorgesetzter ohne Übergang und wedelte mit den Blättern des Berichts, den er offensichtlich gerade durchgelesen hatte.
„Wenn dieser Addy schon lange vorher wie ein folgsames Hündchen neben dieser Lehrerin hergelaufen ist, scheint die Schlussfolgerung als Beschützer durchaus logisch.“
Schubert nickte ohne ein Wort zu sagen.
„Übrigens, Politik und Presse haben sich jetzt verstärkt den Mordfall Keil vorgenommen. Wir müssen dringend weiterkommen und Ergebnisse präsentieren.“
„Hm, hm“, Schubert nickte abermals wortlos und zog die Luft geräuschvoll durch die Nase. Das Gesicht seines Chefs wurde ärgerlich.
„Wie weit sind Sie denn bisher gekommen?“
„Grün und Vox habe für die kommende Nacht einige Überwachungen geplant, morgen sind wir schlauer.“
Detjen wartete ungeduldig auf weitere Angaben - ohne Ergebnis. Schließlich verließ er mit den Worten „sehr gesprächig sind Sie heut´ nicht“ grußlos den Raum.
Bereits während der letzten Worte seines Bosses war Schubert nicht mehr ganz bei der Sache. Wie ein aufhellender Blitz hatte die Bemerkung „folgsames Hündchen“ seine bisher unklaren dunklen Vorstellungen sichtbar gemacht.
Überraschend zeigte sich eine weitere Parallele, die er bisher übersehen hatte. Egal ob in der Schule oder bei diesem Mädchen mit dem schönen Namen Marina, immer war dieser Addy vorher als eine Art Neutrum neben den Betroffenen hergelaufen. Wurde er erst dadurch in Tätlichkeiten verwickelt, dass sein Beschützerinstinkt eskalierte?
Unklar erinnerte er sich an das Gespräch mit dem Hausmeister des Jugendhofes. Hatte der nicht Ähnliches erwähnt? Modeltyp Karen Braun, dieser Sven - guter Junge hatte er ihn genannt - und

Addy, der als tapsig harmloser Dritter im Bunde ständig hinter den beiden hertrottete.
Sein Interesse für solche Informationen war bei diesem Gespräch gering geblieben, Zusammenhänge konnte er noch keine erkennen. Heute meinte er Querverbindungen zu sehen, auch wenn sie nur auf Annahmen beruhten.
Je länger er nachdachte, desto fester nistete sich, ohne Erklärung und ohne Beweis, eine Erkenntnis in seinem Kopf ein: Dieser Fall des toten Sven Tillich war die Tür, die er aufstoßen musste, um im Mordfall Keil weiterzukommen. „Gefühlsaxiom“, nannte Schubert diese Stimmungslage, weil sie sich zwar nicht auf Fakten gründete, aber ihn bisher noch nie in eine falsche Richtung geführt hatte.

Entschlossen forderte er die Akte „Todesfall Sven Tillich“ an und organisierte telefonisch einen Termin im Jugendhof. Diesen Frank, Freund von Addy und der durch Selbstmord aus dem Leben geschiedenen Marina, würde er unbedingt befragen müssen.

Heike

Von den Örtlichkeiten her war die Situation alles andere als günstig. Eine einzige Auffahrt, breit und modern gestaltet, führte von der Kreisstraße auf das Gelände der WAKE GmbH. Futuristisch anmutende Beleuchtungskörper gaben dem Ganzen einen mondänen Anstrich und illuminierten bei Dunkelheit die Vorderfront der Firma mit einem weichen, warmen, sandfarbenen Licht. Kein Zweifel, bereits bei der Einfahrt wurde dem Besucher der Eindruck eines prosperierenden und wirtschaftlich intakten Unternehmens vermittelt.

Herbert Grün, der sich auf eine Verfolgungsfahrt eingestellt hatte, zeigte verständlicherweise wenig Interesse an dieser

protzigen Außendarstellung. Nach der Einmündung in die öffentliche Straße lagen die Abschnitte sowohl nach rechts als auch nach links nackt und bloß da. Kein Baum oder Strauch, der Schutz gewähren konnte, stattdessen ebenes Gelände aus Wiesen mit einem paar Büscheln Heidekraut. Für seine geplante Überwachung der Geschäftsführerin brauchte er aber eine Gegend, in der er seinen Wagen versteckt abstellen konnte, um aus sicherer Deckung heraus die Verfolgung aufnehmen zu können. Bei der letzten Aktion dieser Art im Kriminalfall Schulkatakombe war das einfach gewesen. Dort konnte er auf einem überfüllten Parkgelände eines Supermarktes in Bereitschaft liegen, aber hier?
Nach seinen bisherigen Recherchen verließ die Blanken normalerweise abends zwischen zwanzig und einundzwanzig Uhr die Firma. Über diesen dürftigen Hinweis hinausgehende Informationen konnte er leider keine in Erfahrung bringen. Bereits die Antwort auf die Frage, in welche Richtung sie fahren würde, lag im Dunkeln. Rechts oder links, beide Seiten der offenen Landschaft boten auf mehreren hundert Metern keine Möglichkeit zu, sich heimlich in ihren Windschatten zu schleichen.

Grün entschloss sich an diesem Abend probeweise für die rechte Variante und suchte neben einer etwa fünfhundert Meter entfernten Gaststätte Schutz. Dort nahm keiner der gelegentlich ankommenden oder abfahrenden Gäste von seinem abgestellten Fahrzeug Notiz. Dafür begann es allmählich stärker werdend zu nieseln. Temperaturen um den Gefrierpunkt sorgten für Glätte und die harmlosen Nieseltropfen schlugen sich als Eisregen auf den Fahrbahnbelag und die Windschutzscheibe nieder. Verärgert musste er mehrfach kratzen um startbereit zu bleiben. Kurz vor zweiundzwanzig Uhr, er hatte gerade beschlossen die Aktion abzubrechen, fuhr langsam schlitternd ein weinroter Golf vorbei. Grün stand, den Eiskratzer in der Hand, an der Fahrertür und meinte in dem Fahrzeug eine weibliche Person ausgemacht zu haben.

Er zögerte, normalerweise fuhr die neue Chefin der WAKE GmbH ein Modell gehobener schwäbischer Luxusklasse. Dann nahm er entschlossen und ohne weiter zu überlegen die Verfolgung auf. Hatte er eine spiegelglatte Fahrbahn noch vor wenigen Minuten verflucht, war jetzt eine dünne Eisdecke seine Verbündete. Der Wagen, den er verfolgte, schlich so langsam durch die Nacht, dass er problemlos Fühlung halten konnte. Häufig leuchteten die Bremslichter auf, die Fahrerin oder der Fahrer vor ihm reagierten unsicher und ängstlich. Sporadisch ließ er sich weit zurückfallen um keinen Argwohn zu erregen. Der vor ihm Fahrende schien seine gesamte Aufmerksamkeit der Straße zu widmen, auf der sich die Eisbildung verstärkte. Längst hatten sie Nehberg hinter sich gelassen. Häuseransammlungen und kleine Dörfer wirkten in dieser kalten Nacht unbewohnt und verlassen. Vor ihm wurde jetzt überraschend das Tempo gedrosselt und Grün schloss dicht auf. Sein Wagen reagierte kaum auf das Bremspedal. Elektronik des ABS verhinderte ein Blockieren der Räder und ließ sein Gefährt fast ungebremst weiterrollen.

Ein Glück, auch dem oder der Verfolgten erging es nicht anders. Während Grüns Fuß fest auf der Bremse stand, sah er im Vorbeirollen ein Ortseingangsschild, er meinte „Bergen“ gelesen zu haben. Als er wieder die Straße vor sich im Blick hatte, war sie leer. Langsam glitt er weiter in die wie ausgestorben wirkende Ortschaft hinein. Schräg vor sich konnte er einen rechteckigen Hof ausmachen. Dorthin war der Golf abgebogen und hatte über einen Sensor offensichtlich zwei starke Scheinwerfer aktiviert. Aus einer Tür kam ein großer kräftiger Mann gelaufen. Aus dem Seitenfenster konnte Herbert Grün einen kurzen Blick auf die vom Licht angestrahlte Silhouette werfen. Wo war ihm eine ähnliche Figur schon einmal begegnet? „Klick“, machte es in seinem Kopf. Richtig, der Fahrer des Gabelstaplers aus der WAKE GmbH glich dem über den Hof hastenden Schattenriss wie ein Zwilling dem anderen, da war er sich fast sicher.

Gern hätte er gestoppt, um die Szene genauer in Augenschein zu nehmen, aber genau das wäre zu auffällig gewesen. Ein kleines Stück hinter der Hofeinfahrt erspähte er einen freien Platz mit wahllos abgestelltem Gerümpel. Ohne nachzudenken schob er sich irgendwie dazwischen, schnappte sein Nachtglas, das er vorsorglich auf dem Nebensitz deponiert hatte, und spurtete zurück. Gerade in dem Moment schloss sich das automatische Garagentor hinter dem roten Golf. Für einen winzigen Moment beleuchtete das Flutlicht zwei Körper in inniger Umarmung, ehe es erlosch. Nachtschwarz und dunkel lag jetzt der Durchgang da, nur die erleuchteten Fenster des Hauses über der Garage warfen helle Lichtmuster in die Nacht.

Im Schatten eines der Gebäude tastete er sich etwas weiter vor und versuchte mit seinen Blicken in die erleuchteten Quadrate einzudringen. Zwei Menschen bewegten sich jetzt dort oben, weitere Einzelheiten waren schwer zu erkennen. Während er sich vorsichtig von der Wand des Baues absetzte, geriet er in den Erfassungsbereich der Lichtanlage. Wie Überraschungsblitze eines Gewitters flammten die beiden Strahler erneut auf. Erschreckt blieb Grün beinahe handlungsunfähig stehen. Dann versuchte er möglichst rasch aus dem Einstrahlungswinkel zu flüchten und wäre wegen des eisglatten Bodens beinahe gestürzt. „Überwachung beendet!“, wurde ihm schlagartig klar. Hier musste er mit jedem Moment, den er sich länger aufhielt, seine Entdeckung befürchten.

Wütend und enttäuscht trottete er durch die menschenleere dunkle Dorfstraße zu dem vermüllten Standort seines Fahrzeuges zurück. Resigniert schenkte er sich einen heißen Tee ein und

überlegte die weiteren Schritte. Mit Schrecken fiel ihm ein, dass er sich nicht einmal das Kennzeichen notiert hatte.
„Mist!“ fluchte er leise vor sich hin.
Entsetzt fuhr er hoch, hinter ihm schlug ein Gegenstand krachend zu Boden. Instinktiv zog er den Kopf ein und rührte sich nicht. Erst als alles ruhig blieb, wagte er wieder aufzublicken. Der Ast eines hohen Baumes war unter der Eislast abgebrochen und mit Getöse auf den Haufen Unrat heruntergestürzt. Den Atem anhaltend, wartete er nervös und unsicher darauf, dass die Bewohner der zwei angrenzenden Gebäude heraushetzen und nach der Ursache forschen würden. Aber das gesamte Dorf schien im Tiefschlaf zu liegen. Noch nicht einmal ein Hund hatte angeschlagen.

Missmutig trank er seine Tasse aus. Im Augenblick bewegte er sich mit seiner Überwachungsaktion auf einen Nullpunkt zu. Welche Ergebnisse konnte seine aufwändige Maßnahme vorweisen? Eine Person war in einem roten Golf mit an Sicherheit grenzender Wahrscheinlichkeit vom Gelände der WAKE GmbH aus in das winzige Dörfchen Bergen gefahren. Begrüßt und innig umarmt wurde sie von einem kräftigen Kerl. War das wirklich, wie vermutet, dieser Typ aus der Firma, Claudias Vater, durch den vor einigen Tagen ihre Befragung ein jähes Ende gefunden hatte? Dann schlug er sich mit der Hand auf die Stirn. Die Adresse! Warum war ihm die einfachste Variante nicht sofort eingefallen? Mit einer Taschenlampe bewaffnet schlitterte er über den vereisten Gehweg zurück. Fast ohne Lampe konnte man auf der Vorderseite der Hauswand den Besitzer erkennen. Dort prangten große Buchstaben aus Blech und wiesen auf den Bewohner hin, so, als wollte der Inhaber sein Hausrecht besonders deutlich demonstrieren: Olaf Esser , Schmiedestraße 3.
Eines weiteren Beweises bedurfte es nicht. Blanken, die Firmenchefin, und dieser Esser aus der Lagerhalle mussten in irgendeiner, wahrscheinlich erotischen, Beziehung zueinander

stehen. Einzige Unbekannte in diesem Partnerschaftsspiel war die Frage, ob die Dame wirklich mit der Blanken identisch war.

Herbert Grüns Persönlichkeit wies einen Charakterzug auf, den sein mit einem Doktortitel ausgestatteter Teamleiter als Terriersyndrom bezeichnete. Es war seine Art, sich in eine Aufgabe zu verbeißen und dann nicht wieder loszulassen. Obwohl todmüde und ausgelaugt, beschloss er durchzuhalten um sich Gewissheit zu verschaffen. Am nächsten Morgen musste die Person, deren Identität er zweifelsfrei feststellen wollte, ja wieder den Rückweg antreten. Das war seine Chance. Wenn die Mutmaßung Blanken – Esser stimmte, würde sie auf keinen Fall mit ihrem angenommenen Liebhaber fahren. Ihre gesamten bisher getroffenen Vorsichtsmaßnahmen aus Angst, dass alles ans Licht käme, wären dadurch sinnlos geworden. Zuerst hieß es einen Standort zu finden, von dem aus man den Hof und möglichst einen Teil der Fensterfront besser überblicken konnte. Zu Fuß schlich Grün die Dorfstraße entlang. Unter einer Baumgruppe schräg gegenüber dem Ausforschungsobjekt standen kreuz und quer einige Fahrzeuge. Ideal! Ein zusätzlich abgestelltes Auto würde nicht auffallen. Mit raschen Schritten lief er zu seinem Wagen und startete den Motor. Sorgen, schlafende Bewohner aufzuschrecken, brauchte er sich keine zu machen. In einem Dorf, in dem das laute Scheppern eines in einen Müllberg krachenden Astes niemanden interessierte, würde sich erst recht keiner um ein zu mitternächtlicher Stunde fahrendes Auto kümmern.

Grün richtete sich für einige Nachtstunden hinter dem Lenkrad ein, polsterte sich mit einer warmen Decke und stellte seine Handy - Weckfunktion auf fünf Uhr früh ein. Sehnsüchtig blickte er in die oberen Fenster des Hofvierecks, hinter denen seine Zielpersonen bequem in warmen Betten schliefen. Allerdings – ob sie in dieser Minute schliefen, wagte er zu bezweifeln. Grinsend malte er sich gedanklich Szenen aus, die sich da oben hinter den Scheiben der Schlafzimmerfenster gerade abspielen dürften. Dann zwang er sich, seine Phantasie auszuschalten, derartige Gedankenspiele gehörten eindeutig nicht zu seinem Überwachungsauftrag.

Aus weiter Ferne drang ein Piepton an sein Ohr. Herbert Grün schreckte hoch und wusste im Moment nicht, wo er sich befand. Sein Rücken schmerzte und die Finger fühlten sich abgestorben an. Beim Hochblicken sah er die Frontscheibe vor sich. Er musste, die Arme auf das Lenkrad gestützt, überraschend eingeschlafen sein. Verspannt schälte er sich mit Mühe aus dem Fahrersitz, wobei jeder Muskel seines Körpers weh tat. Ein Glück, der Tee war noch warm, gierig schlürfte er den Rest aus der Thermoskanne. Vor Schreck zuckte er zusammen, als eine tiefe Männerstimme hinter ihm „Moin" rief. Im Dunklen huschte jemand zu einem Auto, die Tür schlug zu und wenig später waren die Rücklichter im Dunkel verschwunden. Hinter den Fenstern über der Garage bemerkte er einen verschwommenen Lichtfleck. Nachttischlampen, vermutete er, die beiden waren früh aufgestanden, aus welchen Gründen auch immer.

Vorsichtshalber startete er den Motor. Gerade noch rechtzeitig, denn fast zum gleichen Zeitpunkt bog der Golf aus der Einfahrt und fuhr, anders als er am Abend gekommen war, in die Gegenrichtung davon. Ein weiteres Fahrzeug brauste auf der Dorfstraße heran und verdeckte das Heck. „Prima", murmelte Grün, so konnte er aus seiner Deckung heraus hinterherfahren, ohne sofort bemerkt zu werden. Ein Warmlufteinbruch gegen Mitternacht hatte für bessere Straßenverhältnisse gesorgt, sein Vordermann überholte. Jetzt war er wieder genau hinter der Zielperson. Vor ihnen dehnte sich eine öde, endlos leere Straße. Von den wenigen Sträuchern am Rand fiel das geschmolzene Eis in Form von Wassertropfen auf den Boden. Nebelfetzen krochen in Schwaden wie riesige Gespenster durch die Landschaft und verursachten in der Dunkelheit ein Gefühl der Beklemmung.

Wasserschleier reflektierten das Licht der Scheinwerfer und führten zu einer starken Blendwirkung, keine angenehme Zeit um unterwegs zu sein.

Einige Zeit später erreichten sie die Außenbezirke der Großstadt. Grün klebte wie eine Klette an seinem Vordermann, der zum Glück bald von der viel befahrenen vierspurigen Allee Richtung Innenstadt in eine exklusive Wohngegend abbog. Unerwartet stoppte das verfolgte Fahrzeug so abrupt, dass er beinahe das Heck gerammt hätte. Reaktionsschnell riss Grün das Lenkrad herum und es gelang ihm gerade noch links vorbeizukommen. Im Rückspiegel konnte er sehen, wie sein „Fast - Unfallgegner" in einem Villengrundstück verschwand. Leicht nervös wendete er. Ein Gebäude war von der Straße her nicht auszumachen, dafür erblickte er aber zwei Doppelgaragen, sichtbar und hell ausgeleuchtet. Eine der beiden Boxen wurde durch die elegante Karosse mit Stern fast ausgefüllt. Links daneben ragte weinrot das Heck jenes Fahrzeugs heraus, dem er seit gestern Abend so hartnäckig hinterhergehetzt war. Davor stand eine Frau, gut und deutlich zu erkennen – die Blanken! In der Hand hielt sie eine Fernbedienung und war gerade dabei, die beiden Rolltore zu schließen. Jetzt gab es keine Zweifel mehr. Deutlich konnte er auch eine Hausnummer am Torpfeiler erkennen – sechzehn. Ihre Adresse hatte er mittlerweile im Kopf gespeichert, Weiher 16. Endlich hatte sich der Kreis mit den vielen offenen Fragen geschlossen. Grün war mit sich und seiner Aktion zufrieden.

Heike Blanken, smarte Geschäftsführerin der WAKE GmbH, fuhr also gelegentlich abends zu ihrem Liebhaber. Verständlich, dass sie dafür nicht den teuren Luxusschlitten benutzte. Ein kleines und unscheinbares Allerweltsauto fiel doch kaum auf. Morgens kehrte sie in ihre Villa zurück und erschien mit ihrer S-Klasse in der Firma. (Den Golf ließ sie im Laufe des Tages, vermutlich durch Esser, wieder abholen.)

„Clever, clever“, dachte Grün anerkennend, während er sich total müde und zerschlagen auf den Rückweg nach Nehberg machte.

Eduard Vox fuhr an diesem Morgen nicht zum Dienstgebäude. Detjen, der Chef, würde nur wieder herummeckern und eine schnellere Aufklärung des Mordfalls Keil einfordern. Schwachsinn, als ob sie den oder die Täter einfach über das Internet abrufen könnten. Zu diesem Frage - Antwort Spiel, in dem die Ermittler wegen mangelnder Fahndungserfolge regelmäßig in die Rolle von Angeklagten gedrängt wurden, hatte er heute nicht die geringste Lust.
„Ob Grün wohl brauchbare Fakten über das Verhältnis Blanken - Esser herausgefunden hatte?“ schweiften seine Gedanken ab. Ihre Hypothese über den Mörder hing schließlich davon ab. Schubert, ihr Teamleiter, verfolgte zwar eine andere Spur, aber diesmal lag er falsch, da war er sich mit seinem Kollegen einig. Sie würden ihren Doktor überraschen und diesen Gangster präsentieren, der Keil umgebracht hatte.

Vox sah zur Uhr. Punkt zehn wollte er sich mit Trixi Keil, der Frau des Ermordeten, und ihrem Anwalt treffen. „Viel zu früh“, stellte er fest, und so nutzte er die Gelegenheit sich noch etwas in dem noblen Vorort der Großstadt umzusehen. Entspannt stellte er seinen etwas in die Jahre gekommenen fahrbaren Untersatz vor dem Grundstück der angegebenen Adresse ab. Zu Fuß schlenderte er durch die parkähnlich wirkenden Wohnanlagen der Umgebung. Trotz eines grauen Himmels, der Regen hatte zum Glück aufgehört, wirkten die gepflegten Villen mit ihren Vorgärten bunt und farbenfroh. Vox staunte, wie viele reiche Leute es geben musste. Ewas neidisch betrachtete er die vor einigen Gebäuden stehenden teuren Straßenkreuzer. Was war er dagegen für ein armer Hund, mit seiner kleinen Etagenwohnung und dem alten etwas angejahrten Ford von anno Krug. „Macht überhaupt nichts“, dachte er trotzig, „ob von den ganzen reichen

Knilchen mit ihren stilvollen Behausungen und den protzigen Karossen davor wohl einer so zufrieden ist wie ich zur Zeit?“
Seit Jens Schubert und sein Partner Manuel Lüdders in sein Leben getreten waren, ging es ihm physisch und psychisch wieder richtig gut. Vorbei die Zeit, wo er sich nach Dienstschluss verkrochen hatte und wie ein geprügelter Hund durch das Polizeigebäude geschlichen war.

Zehn Uhr – Vox klingelte an dem weißen mit Bogen verzierten Tor zur Einfahrt. Schräg über der Pforte daneben ertönte ein heller Glockenton und die Tür schwang, wie von einem Geist bewegt, langsam auf. Unter seinen Füßen knirschte der Kies, als er mit zügigem Schritt auf das flache, architektonisch prachtvoll gestaltete Gebäude zulief. Kein Zweifel, auch hier wurde Reichtum zur Schau gestellt. Trotz seiner Verachtung für protzige Außendarstellung war Vox beeindruckt, obwohl er sich das nicht eingestehen wollte.

Trixi Keil, durch die Ermordung ihres Mannes zur Witwe geworden, kam ihm mit forschem Schritt und aufrechter Körperhaltung entgegen. Zu Vox´ Gewohnheiten gehörte es, vorher das Aussehen der zu befragenden Personen in seinem Kopf abzubilden. Meistens waren Vorstellung und Realität ziemlich deckungsgleich, was ihn selbst immer wieder erstaunte. Bei dieser Frau stimmte allerdings nichts mit seiner theoretischen Darstellung überein. Erwartet hatte er ein flottes Püppchen, das zu seinem Ehepartner aufsah und sich wohl auch nie um seine Geschäfte kümmerte. Die Dame in der Einfahrt war alles andere als eine schlanke Model - Erscheinung. Was ihm zuerst auffiel, war ihr klares und hübsches Gesicht mit einem scharf geschnittenen Profil. Kleine braunrote Löckchen ringelten sich wie Korkenzieher bis auf ihre Schultern. Nur eine üppige und vollschlanke Figur, die sie unter einem mit farbenprächtigen Ornamenten bestickten Hauskleid geschickt verbarg, passte nicht so recht zur attraktiven Kopfregion. Fast schien es, als ob oberer und unterer Körperteil früher zu zwei verschiedenen Personen gehört hatten und nachträglich zusammengefügt worden waren.

„Herr Vox?“ ihre liebenswürdige freundliche Stimme, wie er feststellen musste, flößte Vertrauen ein. „Bitte kommen Sie doch herein!“

Beim Eintreten in das Wohnzimmer, wohl eher eine Art Empfangshalle, fiel ihm zuerst der reichlich gedeckte Frühstückstisch auf, was bei Vox dazu führte, dass er keinen Blick mehr an die stilvolle Einrichtung verschwendete. Davor stand steif ein gepflegt und selbstbewusst wirkender Herr in Nadelstreifen.
„Momsen“, stellte er sich mit leichtem Kopfnicken formvollendet vor, „Anwalt von Frau Keil.“ „Prototyp eines Advokaten, der hätte sich nicht vorstellen müssen“, dachte Vox während er Platz nahm und mit Wohlgefallen die Köstlichkeiten vor ihm betrachtete. „So freundlich werde ich als Polizist nicht überall empfangen“, Vox häufte sich eine Portion Rührei auf den Teller und schenkte sich dann genießerisch eine Tasse des starken Kaffees ein. Trotzdem war er vorgewarnt, diese Art von zurückhaltender Höflichkeit schien verdächtig und die kalte Art ihres Rechtsbeistandes ließ ihn vorsichtig werden. Dazu hatte er genügend Erfahrung mit den Angehörigen dieses Berufsstandes sammeln können.
„Falls Sie nach einem Alibi für meine Mandantin fragen, sie war in der fraglichen Zeit in München“, eröffnete er wie zur Bestätigung das Gespräch.
„In einer Wellness - Farm, falls Sie es genauer wissen wollen.“
„In welcher fraglichen Zeit?“, konterte Vox und brachte damit sein Gegenüber leicht aus dem Gleichgewicht. „Im Übrigen würde ich Ihre Mandantin ganz gern selbst befragen.“
Der graue Herr setzte ein Pokergesicht auf und lehnte sich, ein wenig irritiert, wie es schien, zurück. „Sehr geschickt war dein erster Schachzug nicht“, feixte Vox zufrieden in sich hinein.

„Frau Keil, was mich interessiert, sind lediglich Fakten, die helfen, das Umfeld Ihres“…, er zögerte, „also Ihres verstorbenen Mannes kennen zu lernen um einen möglichen Täter einzukreisen.“
Entgegen seinen Erwartungen schien es der Befragten keine Mühe zu bereiten, Dinge aus dem Leben ihres Mannes offenzulegen. Nur gelegentlich, wenn er der Meinung war, seine Mandantin sollte gewisse Details lieber für sich behalten, griff ihr Anwalt ein, was zu einer Kontroverse mit Vox führte. Aber auch er vermied einen Konflikt. Man reizt als Polizist juristische Vertreter nicht ohne zwingenden Grund, hatte die Erfahrung gelehrt.

Trixi Keil schien weit von dem unbedarften Mäuschen entfernt, für das Vox sie gehalten hatte. Über amouröse Abenteuer ihres Angetrauten wusste sie, wie es schien, bestens Bescheid. Ihr Gatte war erst vor wenigen Tagen ermordet worden, trotzdem gab sich Trixi Keil nicht die geringste Mühe, Trauer oder gar Betroffenheit wenigstens zu heucheln. Munter wie ein Wasserfall plätscherten die Antworten auf seine Fragen aus ihr heraus. Wohl eine späte Rache dafür, dass ihr Mann sie mit seinen kleinen Freundinnen permanent betrogen und damit beleidigt hatte. Viele Informationen entpuppten sich als wertlos für seine Ermittlungen.

Erst als sich die Gespräche um die WAKE GmbH drehten, wurde Vox mit einem Schlag hellwach. Der Patriarch hatte in einem bis dahin geheim und unter Verschluss gehaltenen Vertrag eine Verfügung hinterlassen. Für den Fall seines Todes sollten Heike Blanken, Geschäftsführerin und Frau der ersten Stunde, die Hälfte der Firmenanteile überschrieben werden. Wer eine solche Abmachung trifft, sinnierte Vox, dessen Ehe schien nicht besonders glücklich gewesen zu sein. Wie weit die Blanken selbst den Vertragsentwurf aus dem Hintergrund gesteuert hatte, würde sich nicht mehr feststellen lassen.

Merkwürdigerweise schien sich weder die betroffene Ehefrau noch ihr hanseatisch unterkühlter Anwalt über eine solche Regelung zu empören. Mit Sicherheit war das Vertragswerk geprüft und als wasserdicht und unantastbar befunden worden. Realitäten, auch unerfreuliche, musste man eben anerkennen. Vermutlich wussten sie über die Interna bestens Bescheid. Mit dieser Direktorin an der Spitze würde sich der Betrieb auch in Zukunft im harten Konkurrenzkampf durchsetzen und saftige Gewinne abwerfen. „Never change a winning team“, diese feststehende Redewendung aus dem Sport war wohl die Richtschnur ihres Handelns. Eine Abwägung der Vor- und Nachteile dürfte den verschlagen wirkenden Rechtsbeistand bewogen haben stillzuhalten.
Eine Entschlüsselung des Mordfalles Keil hatte Vox so unvermutet im Kopf, dass er es zuerst nicht glauben wollte - Blanken und ihr vierschrötiger Liebhaber! Sie erbte eine halbe Fabrik, er mit seiner Figur war ohne Mühe in der Lage, den Kopf eines Menschen an einer Betonkante zu zerschmettern.
„Hätten Sie weitere Fragen?“ hörte er aus weiter Ferne die etwas ungehalten wirkende Stimme des Anwalts in die minutenlang folgende Stille.
„Wie, was?“ verwirrt schüttelte Vox den Kopf, „Nein, nein, natürlich nicht.“
Mit einer Hast, die seinem ganzen bisherigen Verhalten widersprach, verabschiedete er sich und fuhr auf schnellstem Wege nach Nehberg zurück.
Fast gleichzeitig traf er mit Herbert Grün im Polizeigebäude ein.
„Na, ausgeschlafen?“ fragte er höhnisch provozierend.
„Du hast gut reden, schlag du dir ´mal die Nacht auf der Straße um die Ohren. Nebel, Glatteis, es war nicht so einfach, die Blanken zu verfolgen. Dafür habe ich aber neue Erkenntnisse.“
„Nicht nur du, ich auch, und meine sind hochbrisant.“
Im Dienstzimmer stießen sie auf eine Nachricht ihres Teamleiters Jens Schubert.

„Bin zu weiteren Ermittlungen im Jugendhof Waldstedt, treffen uns wie üblich zum Abendessen bei mir.“
„Was ist nur in unseren Doktor gefahren? Wir kreisen einen Tatverdächtigen ein und Jens verplempert seine Zeit mit psychologischen Spielchen über pubertierende Heranwachsende auf einem Jugendhof.“
„Gibt Schlimmeres“, kommentierte Grün, „aber ein Kaffee nach meiner Verfolgungsnacht wäre auch nicht schlecht.“ Mit einer lässigen Handbewegung scheuchte er seinen Kollegen auf:
„Du bist dran.“

„Todesursache – starke Verletzungen im hinteren Schädelbereich“, stand nüchtern und schnörkellos in der Akte Sven Tillich. Schubert legte die Blätter nachdenklich auf den Schreibtisch. Hatte Bruck, der Hausmeister, nicht etwas angedeutet? Sven und diese Erzieherin Karen Braun, könnten die sich näher gekommen sein? Auch hier schwebte der Name Addy wieder über dem Geschehen ohne greifbar zu werden. Fast wie der Bau einer Sandburg erschien ihm der Fall. Jedes Mal, wenn man glaubt, das letzte Drittel fertig bauen zu können, zerbröselte der untere Teil und alles fing von vorn an.
Genervt sah er zur Uhr. Den Termin im Jugendhof durfte er nicht verpassen.

Baumann, Leiter der Erziehungseinrichtung, schien bei seiner Ankunft im Jugendhof nicht gerade vor Freude zu bersten.
„Den Bruck wollen Sie erneut befragen?“ Mit den Worten „nur zu, mich brauchen Sie ja sicherlich nicht dabei“, verschwand er, froh, nicht auch schon wieder ausgequetscht zu werden.

Bruck wurde von Schubert überrascht, als er gerade dabei war, einen Teil des Scheunentrakts zu reinigen. „Ah, der Doktor Schubert!“ rief er fast begeistert aus und seine Freude schien echt zu sein. Schubert hatte ihn während seines letzten Besuches von

Anfang an höflich und korrekt behandelt. Eine solche Anerkennung als Mensch war er von den übrigen Mitarbeitern des Jugendhofes offenbar nicht gewohnt.
„Wir müssten uns unbedingt kurz unterhalten."
„Mit so einem netten Polizisten, wie Sie es sind, rede ich gern."
„In diesen Keller hier unter der Scheune, kommt man da rein?" begann Schubert ohne Umschweife. „Hmm, freiwillig geht nach der Sache mit diesem Sven keiner mehr runter. Nicht mal der Baumann hat einen Schlüssel und die Braun, Karen, meine ich, macht einen Riesenbogen um die gesamte Scheune, seit sie den Jungen tot da unten rausgeholt haben."

Schubert horchte auf, die Sprache des Hausmeisters glitt in eine geheimnisvolle Tonlage ab. Bereits bei seinem letzten Besuch glaubte er herausgehört zu haben, dass zwischen dem Heimzögling und seiner attraktiven siebenundzwanzigjährigen Erzieherin Dinge vorgefallen sein könnten, wie sie zwischen Pädagogen und ihren zu betreuenden Schützlingen nicht gerade üblich sind. Sven, seine charmante Erzieherin und dieser tölpelhafte Junge Addy, wo war die Klammer, die diese drei Personen miteinander verband? „Völlig verrückt", dachte Schubert, „statt im Betrieb des toten Keil weiter nach einem möglichen Täter zu suchen, vergeude ich meine Zeit auf diesem Gutshof." Trotzdem, ohne einen konkreten Anlass zu kennen, hatte er das Gefühl, von diesem Ende aus den Fall aufspulen zu können.
„Dürften wir jetzt gleich ´mal da rein?" Bruck sah ihn nachdenklich an: „Wenn Sie wollen, aber Vorsicht, die Treppe ist nicht ohne." Das war sie wirklich nicht. Wasser, über viele Jahre nach unten gesickert, hatte zur Bildung von glitschigem Moos geführt. Sich mühevoll am Geländer festhaltend, hangelte sich Schubert über die glatten Stufen. Bruck folgte ihm rutschend und hielt trotz des gefährlichen Untergrundes eine Taschenlampe in seiner rechten Hand.

„Strom für den Keller ist abgeklemmt“, kommentierte er ihre nicht ganz einfache Aktion.
„Wer hier ausrutscht und mit dem Kopf auf die Stufen knallt, kann sich schon tödlich verletzen.“ Schubert stand am Ende der untersten Stufe.
„Kann!“ bestätigte sein Begleiter in einer merkwürdigen Tonlage.
Dieses Wort drückte mehr Zweifel als Bestätigung aus. Hausmeister Bruck schien Zusammenhänge zu kennen, die er, Schubert, gedanklich zu verknüpfen suchte. Merkwürdig, je mehr er darüber nachdachte, umso geheimnisvoller erschien ihm der Tod des jungen Mannes. Für einen kurzen Moment zuckte er zusammen, entfernt glomm in der Dunkelheit etwas auf, als ob jemand eine Zigarette rauchen würde. Auch Bruck schien den glühenden Punkt entdeckt zu haben, sein Lampenlicht verlosch.

Gemeinsam stierten sie lange in das Dunkel des Kellers und warteten ab. Der helle Fleck bewegte sich nicht und musste ortsfest im hinteren Teil des Gewölbes liegen. „Ich geh´ nachgucken“, flüsterte Bruck. Ein dünner Strahl erhellte den Keller dürftig, als er seine Lichtquelle wieder aufleuchten ließ. Schubert folgte mit einer Mischung aus Angst und Neugierde. Beim Näherkommen entdeckten sie die Ursache: Eine altmodische Taschenlampe mit fast erschöpfter Batterie warf die Reste ihres spärlichen Scheines in die Finsternis. Eine oder mehrere Personen mussten sich in diesem Raum unter dem Scheunentrakt aufgehalten haben. Beim Verlassen des ehemaligen Kartoffelkellers war sie wohl versehentlich liegen geblieben. Im Halbdunkel konnte man zwei Schlafsäcke und Decken erkennen, alles fein säuberlich gefaltet und zusammengelegt.
„Hören Sie, hier treiben sich doch andere herum. Sagten Sie nicht, der Zugang wäre permanent verschlossen? Offenbar gibt es weitere Möglichkeiten hier einzudringen. Wer könnte Interesse haben, hier runter in diesen Keller zu klettern und warum?“

Von Bruck, in der Dunkelheit hinter seinem Lichtkegel nicht erkennbar, kam keine Reaktion. Schubert spürte förmlich, wie der neben ihm Stehende mit sich rang, ob er reden oder besser schweigen sollte. Irgendwo tropfte Wasser, sonst war kein einziges Geräusch zu hören. Durch diese erdrückende Stille wirkte die Umgebung unheimlich und Furcht einflößend.

Schubert wartete geduldig, überzeugt davon, dass der andere etwas mitteilen wollte. Gewissermaßen als Bestätigung begann die Person neben ihm die Lampe auszuschalten und fast im Flüsterton zu erzählen.

In den folgenden paar Minuten erfuhr er mehr Interna des Jugendhofes, über die Rangordnung, darüber, wie Addy und Frank von den übrigen Jugendlichen schikaniert und gedemütigt wurden, bis eine Auseinandersetzung wegen Franks Freundin Marina die Serie abrupt beendete.

„Dieselbe Marina, die sich mit Tabletten vergiftet hat?“ gestattete er sich eine Frage. „Weiß keiner, warum.“

Nach minutenlanger fast drückender Stille hörte man ein Räuspern.

„Geh´n wir nach oben.“

Aus Erfahrung wusste Schubert, von dem bis jetzt so gesprächigen Hauswart würde nichts mehr kommen. Auf jeden Fall sollte er eine Durchsuchung beantragen und diesen alten Kartoffelbunker mit Hahne, ihrem Spezialisten für solche Zwecke, gründlich auf den Kopf stellen. Eine Unbekannte in diesem Gleichungssatz war trotz gründlichen Nachdenkens nicht lösbar: Warum hatte der Hausmeister ausgerechnet in diesem muffigen Gewölbe die Geschichte von Frank und Addy geschildert?

Während Bruck den Keller abschloss, tauchte scheinbar aus dem Nichts Karen Braun auf. Wie eine Furie schoss die sonst so naiv wirkende Erzieherin auf ihn los. Ihr panisch wirkendes Auftreten stand in keinem Verhältnis zu dem Anlass.

„Mensch, Bruck, was haben Sie da unten zu suchen? ´Keller abschließen und verschlossen zu halten`, lautete die Anweisung unseres Leiters. Baumann wird sich freuen, wenn er hört, wie seine Hinweise ignoriert werden."
„Doktor Schubert wollte nur ´mal kurz von oben reingucken, mehr nicht."
„Ach so, na ja, in Zukunft denken Sie bitte dran, die Tür bleibt zu, klar?"
So unverhofft wie sie aufgetaucht war, verschwand sie wieder, ohne die zwei Männer auch nur eines weiteren Blickes zu würdigen.

Nachdenklich verabschiedete sich Schubert. Statt befriedigender Antworten tauchten stets neue Fragen auf. Regelrecht erregt hatte die Braun herumgeschrien. Warum sollte niemand die Räume unter der Scheune besuchen? Bruck musste gute Gründe haben, sie anzulügen und zu behaupten, er hätte nur von oben einen kurzen Blick da hineingeworfen. Der Todesfall Sven Tillich war mit einem Geheimnis verbunden, das wohl keiner erfahren durfte. Hauptfiguren im Irrgarten der Ereignisse könnten Addy, sein Freund und diese eher unreif wirkende Erzieherin sein. Zuerst würde er Frank, Addys Kamerad, befragen und dann Bruck in ein freundschaftliches Gespräch verwickeln. Seine Informationen, wenn er sie denn preisgab, könnten den Knoten durchtrennen und vielleicht auch weiter zum Mordfall WAKE GmbH führen. Schubert verließ sich im Moment mit schlafwandlerischer Sicherheit auf sein Bauchgefühl. Nicht nur seine sechs Sinne, auch eine Art siebter Sinn gaben ihm die Gewissheit, damit eine zum Erfolg führende Spur gefunden zu haben.

Ob sie es sich eingestehen wollten oder nicht, sie gingen mit ihrem Team EP 8 getrennte Ermittlungswege. Die drei Mitglieder hatten sich am Abend bei Schubert getroffen. Nach dem Essen, das durch die Kochkunst seines Lebenspartners

Manuel von Vox als „Gaumenfreude der dritten Dimension“ gepriesen wurde, prallten die Meinungen unversöhnlich aufeinander. Seine Partner Vox und Grün kündigten die Gefolgschaft, weil sie glaubten, den Verantwortlichen für den Mord an Walter Keil bald präsentieren zu können. Kein Verständnis brachten sie für ihren Teamchef auf. Statt Tatverdächtige zu befragen, trieb der sich in schrägen Jugendanstalten herum und untersuchte das Verhalten von Sechzehnjährigen.

„Also, wir haben die Zusammenhänge gefunden“, Vox rieb sich zufrieden die Hände. Detjen, unser Chef, braucht Ergebnisse und Herbert und ich werden sie in Kürze liefern.“

„Wie schön für unser Team, ich bin mir da allerdings nicht so sicher.“

„Aber wir!“ Vox klopfte sich stolz auf die Brust.

„Heike Blanken wurde durch den Tod ihres Chefs alleinige Geschäftsführerin und bekommt fünfzig Prozent der Firmenanteile, habe ich herausgefunden. In einem Gespräch mit Keils Frau und ihrem Anwalt wurde das bestätigt. Außerdem hat sie ein Verhältnis mit diesem Gabelstapler fahrenden Muskelprotz Olaf Esser. Herbert hat sich, um diese Erkenntnis zu sichern, extra eine Nacht um die Ohren geschlagen.“

„Na und?“

„Nichts na und! Wir waren so frei, das Puzzle zusammenzusetzen. Wer ist denn der Gewinner beim Tod von Keil? Fünfzig Prozent der Firmenanteile gehen an die Geschäftsführerin. Also, wenn das keine Versuchung ist! Zweifelst du immer noch? Vermutlich ist es der Blanken vor ungefähr einem Jahr, so alt ist der Vertrag, gelungen, den Chef von einer solchen Regelung überzeugen. Schwer zu sagen, warum sich der autoritäre Patriarch darauf eingelassen hat. Wenn diese Dame sich etwas in den Kopf setzt, scheint sie nichts aufhalten zu können. Was plant diese umtriebige Frau als nächsten Schritt? Keil muss verschwinden, damit sie mit ihrem Liebhaber die Früchte genießen kann. Also wird dieser Esser an einem dunklen

Abend losgeschickt um die Sache in Ordnung zu bringen, überfällt den Ahnungslosen, schlägt ihn nieder und donnert den Schädel so „gefühlvoll“ auf eine Betonkante, dass er daran verblutet.“
„Hm, hm“, zweifelte Schubert, „wenn es so einfach wäre.“
„Es ist so einfach, wir sind schließlich etwas länger bei der Polizei. Ein Alibi kann der für den fraglichen Abend nicht vorweisen. Mehr als ein unklares `unterwegs gewesen ` war aus dem Kerl nicht rauszukriegen. Noch auffälliger ist das Verhalten seiner geschäftsführenden Freundin. Nach unseren Recherchen verlässt die Blanken selten vor dem späten Abend ihr Büro. Ausgerechnet an diesem Tage ist sie schon mittags verschwunden. Was sagst du nun? Noch skeptisch?“
Schubert schwieg und schüttelte nachdenklich den Kopf.
„Vage Möglichkeiten, aber es gibt noch ein paar Querverbindungen.“
„Also, wenn du damit deine empirischen Untersuchungen meinst, die kannst du vergessen. Keil hat sich durch sein diktatorisches Auftreten und seine brutale Art, mit Menschen umzugehen, Feinde geradezu geschaffen. Sandra, Auszubildende und nächstes geplantes weibliches `Eroberungsopfer`, soll einen Vater haben, der Choleriker ist. Wegen zweier Gewalttätigkeiten ist der auch aktenkundig. Eine weitere Spur.“
Grün lehnte sich entspannt zurück. „Spätestens in zwei Tagen haben wir genügend Fakten zusammengetragen, um die Blanken und ihren gewaltbereiten Lover hochgehen zu lassen.“
„Was ist?“ Ihr Teamleiter schien mit seinen Gedanken wieder einmal abwesend zu sein. „Bist du nicht überzeugt?“
Jens Schubert trank nachdenklich seinen Kaffee aus: „Vielleicht habt ihr einen einfachen, aber wesentlichen Tatbestand übersehen.“

Andrea

Schubert hatte die beiden Sechzehnjährigen ins Polizeigebäude bestellt, aus psychologischen Gründen, wie er seinen Teammitgliedern gegenüber geheimnisvoll erklärte. Frank, Freund von Addy, war dabei das kleinere Problem, im Gegensatz zu Erik, eine Art Anführer der Jugendlichen, für die Polizei wegen verschiedener Delikte kein Unbekannter mehr. Zweifellos würde die Umgebung einer Wache mit der ständig ablaufenden Routine von Martinshörnern, Peterwagen, hastenden Streifenbeamten und ähnlichen Geräuschen beeindrucken.

Die beiden ungleichen Bewohner saßen, wie vorausgeplant, etwas unsicher in einem kleinen Besprechungszimmer. Schubert schlug die Tür hinter sich zu und demonstrierte Entschlossenheit, als er jeden einzeln mit Handschlag begrüßte. Geschickt führte er das Gespräch auf die Auseinandersetzung wegen Marina. Erik witterte eine Chance sich an Addy für die erlittene Demütigung zu rächen.
„Brutal zusammengeschlagen hat er mich! Anzeige werde ich erstatten, mein Anwalt hat mir das empfohlen. Kann ich gleich ein Formular ausfüllen?"
Schubert lächelte in sich hinein, der hatte doch nie im Leben einen rechtsverbindlichen Rat eingeholt. Ruhig forderte er Frank auf, den Vorfall aus seiner Sicht zu berichten.
„Meine Freundin, also die Marina, ist mit mir an diesem Nachmittag zum Jugendhof gefahren. Sonst sind alle beim Fußball. Leider ist das Training ausgefallen, deswegen kamen alle wieder zurück."
„Ja und dann?"
„Der Erik ist gleich auf sie los.
'Bist du die Tunte von diesem Weichei?', hat er gefragt."
„Ist das vielleicht verboten?", regte sich Erik auf.
„Du hältst dich zurück!" fuhr Schubert scharf dazwischen.
„Weiter!" ermunterte er Frank.
„Also, er fing gleich an sie zu befummeln, an den Hüften und so, dann drückte er Marina gegen eine Mauer."

„Was war denn dabei so schlimm?", Erik griente hinterhältig, „wetten, die brauchte das ´mal?"
„Ruhe!" brüllte Schubert Erik an.
„Addy, was mein Freund ist, hat uns dann geholfen."
„Gegen eine Mauer hast du das Mädchen gedrückt", Schubert fixierte Erik durchdringend, „und an den Hüften festgehalten? Weißt du, was das ist? Versuchte Vergewaltigung! Kann leicht mit einem oder zwei Jahren Gefängnis bestraft werden, wenn nicht noch mehr."
Eriks Bemühungen, eine Anzeige loszuwerden, tendierten ab sofort gegen Null.
Dafür interessierte sich Schubert sehr genau für den Ablauf jenes Nachmittags, an dem Addy sich vom unbedarften Opfer in einen Täter verwandelte, der Marina unter Einsatz roher Gewalt beschützte.
„Also, erst kam er auf mich zugerannt und drehte meinen Arm auf den Rücken, bis ich vor Schmerzen gebrüllt habe. Dann wummerte seine Faust irgendwie gegen meinen Brustkorb und ich bin hingeknallt. Zweimal hat er mich angehoben und nach unten krachen lassen, als ich schon am Boden lag."

Schubert ging nicht auf die mit Empörung vorgetragene Schilderung ein. In seinem Kopf fasste er Schrittfolgen zusammen. Auslösendes Moment war zweifelsohne ein starker Impuls, diesem ängstlichen Wesen, zu dem er wohl eine starke Zuneigung entwickelt hatte, zu helfen.
Hier war eindeutig eine gewisse Parallelität der Szenarien zwischen der Messerattacke auf Addys Lehrerin in der Schule und dieser Freundin von Frank erkennbar. Jedoch auch ein anderer, scheinbar gelöster, aber für Schubert rätselhafter Fall passte in das Raster: Der Tote aus dem verliesähnlichen Raum unter der Scheune des Jugendhofes.

Im Kreuzworträtsel Keil meinte er die Spalten zweimal längs und einmal quer ausgefüllt zu haben. Noch zwei Buchstaben in der

Mitte und das Lösungswort könnte offen auf dem Präsentierteller liegen.
„Danke Erik, du kannst gehen.“
Mit einem erleichterten „Tschüs“ und einem giftigen Blick auf Frank verabschiedete er sich, offensichtlich froh, den quälenden Fragen des Kripobeamten entronnen zu sein.

Frank, dem man die Trauer um seine Freundin noch ansah, hockte verschüchtert auf seinem Stuhl. Anfangs war er wenig gesprächig. Schubert musste seine Erfahrung aus der psychologischen Trickkiste voll ausspielen, um ein paar Details aus Marinas Leben zu erfahren. Allmählich entwickelte sich aus verschiedenen Bausteinen ein etwas klareres Bild dieser angehenden jungen Frau, die mit sechzehn Jahren freiwillig ihr Leben beendet hatte. Schubert verließ sich erneut auf seine Intuition. Hinter dem Tod dieser offensichtlich Verzweifelten verbarg sich eine dunkle Seite, die vielleicht mit ihrer Geburt oder Kindheit zusammenhing. „Kennst du die Adresse von Marinas Eltern?“
„Meinen Sie die Adoptiveltern oder ihre richtige Mutter?“
„Ich brauche einen Hinweis auf die Hintergründe ihrer Geburt.“
Frank zögerte lange, dann nannte er Andreas Adresse.

Die Hand zitterte, als die Frau Kaffee nachschenkte, sie schien ein einziges Nervenbündel zu sein. Der feine Schnapsgeruch in der kleinen Mansardenwohnung untermauerte Schuberts These: Alkoholabhängigkeit. Ihr langes braunes Haar, durchwebt von einigen noch kaum sichtbaren grauen Fäden, fiel bis auf die Schultern. Um die Augen herum zeigten sich Ansätze von Fältchen. Schubert musterte Andrea Bruns unauffällig. Erst beim sorgfältigen Hinschauen fiel der leidende Zug auf, der sich in ihr Gesicht eingegraben hatte.
Unbehaglich rutschte sie auf dem Stuhl hin und her, als Schubert sie lange und schweigend betrachtete.

„Frau Bruns, seien Sie unbesorgt, ich hätte nur ein paar Fragen wegen Ihrer Tochter und möchte Ihnen dabei bestimmt nicht zu nahetreten."
Seine sonore Vertrauen einflößende Stimme schien bei Andrea Bruns eine Art innere Spannung zu lösen. Viele Jahre hatte sie eine geheimnisvolle Erinnerung mit sich herumgeschleppt, Bitterkeiten geschluckt und niemals eine Chance gehabt, sich jemandem anzuvertrauen. Männer waren ihr als verschiedenartige Wesen begegnet. Meistens konnte man beim ersten Zusammentreffen die fleischliche Gier aus ihren Augen ablesen, weitere Interessen wurden ausgeblendet oder waren schlichtweg nicht vorhanden. Dieser gut aussehende Polizeibeamte, der ihr gegenüber saß, schien anders zu sein. Zum ersten Mal fasste sie Vertrauen zu einem Menschen, der sich mehr für ihre Seelenqualen als für ihren Körper zu interessieren schien. Wer von den Partnern, die sie in der Vergangenheit einen kurzen oder längeren Abschnitt lang durch ihr Leben begleitet hatten, wollte schon Dinge über ihren Leidensweg hören?

Frank, Marinas Freund und an der Grenze vom Jungen zum Mann, hatte in jener Nacht nach der Beerdigung bruchstückhaft die Fakten erfahren. Doch durch sein erstes intimes Erlebnis mit einem weiblichen Wesen war er in einen regelrechten Rausch der Sinne geraten und hatte vermutlich alle anderen Informationen verdrängt. Noch heute dachte sie selbst mit einer Mischung aus Scham und Herzklopfen an die auch für sie aufregenden Stunden mit dem fast Sechzehnjährigen zurück. Dabei plagte sie nicht nur eine Art schlechtes Gewissen, auch die Angst vor einer Entdeckung bescherte ihr gelegentlich schlaflose Nächte.
Reglos auf die Tischplatte starrend, war die Erinnerung mit ihr durchgegangen. Als sie den Kopf hob, kreuzten sich ihre Blicke und Schubert lächelte sie an. Wie unter Zwang erfasste sie ein innerer Druck, endlich mit jemandem über das Geheimnis von Marinas Geburt sprechen zu können. Jetzt schien der Zeitpunkt gekommen, die Wahrheit offenzulegen. Am liebsten wäre sie auf

ihr Gegenüber zugegangen, hätte den Kopf an seine Schulter gelegt und erzählt. Auch ohne diese Geste wusste sie, er würde Verständnis aufbringen, für ihre Kurzschlusshandlung nach der Geburt und ihr verpfuschtes Leben.

Sein psychologisch geschulter Blick suggerierte ihm das Mitteilungsbedürfnis dieser Frau auf der anderen Seite des Tisches. Ein winziger Anstoß und der Stein müsste ins Rollen kommen. Nicht hektisch werden, sondern auf Zeit spielen, verordnete er sich und ließ die Tasse erneut füllen.
„Gibt es über die Geburt Ihrer Tochter etwas Ungewöhnliches zu berichten?“ fragte er so beiläufig wie möglich. Andrea seufzte, lehnte sich zurück und schwieg lange. Ihre Gedanken schweiften weit ab in das Hamburg der neunziger Jahre. Es war wie ein Befreiungsschlag, als sie mit anfangs leiser, später mit sicherer Stimme ihre Erzählung begann:

Um die Fenster der kleinen Hochhauswohnung in zehnten Stock pfiff ein scharfer Wind und verursachte unangenehme fast Furcht erregende Geräusche. Andrea sah zu den Leuchtziffern des Weckers – kurz nach sechs Uhr. Walter Keil schnarchte neben ihr, einer der Gründe für die häufigen Schlafunterbrechungen, mit denen sie zu kämpfen hatte. Wie in den Tagen zuvor meldete sich der Magen mit Übelkeit und krampfartigen Schmerzen. Tapfer schluckte sie dagegen an, bis das Würgen unerträglich wurde. Mit einem Satz hechtete sie aus dem Bett und erreichte gerade noch die Spüle in der Küche. In heftigen lauten Stößen übergab sie sich. Während sie stöhnend nach Luft rang, tauchte hinter ihr ein Schatten auf, Walter musste durch das Geräusch wach geworden sein. Ein nie gekanntes Gefühl von Scham und Peinlichkeit überkam sie, nackt in der kleinen Küchenecke stehend und ihren Magen entleerend. „Was ist das denn, bist du etwa schwang…., ?“ Überrascht blieben ihm die Worte im Mund stecken. „Nein, nein, das kann doch nicht sein!“
Es stimmte, ihre Regel war überfällig.

.

Noch kein Jahr war es her, dass sie und ihre allein erziehende Mutter einen Lehrvertrag bei der WAKE GmbH unterschreiben durften. Warum sie sich gegen mehrere andere Bewerber durchsetzen konnte, wusste sie bis heute nicht. Allerdings, ihrer Mutter war aufgefallen, dass sie der Chef bei der Vorstellung mit eigenartigen Blicken bedachte. Einige Monate verliefen ruhig, dann bekam sie eine Einladung zu einer Besprechung „Qualitätssicherung." Damit konnte sie wenig anfangen. Erschreckt wurde sie Zeuge, wie ein alt gedienter Werkstattmeister vorgeführt und gedemütigt wurde. Obligatorisch, das „kultivierte" Abendessen im Anschluss.
Die Nacht verbrachten sie in einem kleinen Appartement in Hamburg, Keils streng geheime Wohnungsreserve für erotische Abenteuer. Für sie war es das erste intime Erlebnis mit einem Mann und sie war selbst überrascht von der Sinnlichkeit, die in ihr steckte. Ein gewisser Stolz kam dazu. Walter Keil, der große unnahbare Chef, den jedes Betriebsmitglied in der Firma ängstlich respektierte, hatte sich mit ihr, einem kleinen und unscheinbaren Lehrling, eingelassen. In den folgenden Liebesnächten murmelte er irgendetwas von einer längerfristigen Partnerschaft. Andreas Gedanken schweiften dann weit in die Zukunft mit Familie und Kindern.

Im Spiegel sah sie Walters Gestalt hinter sich. Gleich würde er sie in den Arm nehmen und ihr ins Ohr flüstern, wie glücklich er sei. Stattdessen drehte er sich abrupt von ihr weg und lief wie ein Tiger im Käfig hin und her. Überraschend blieb er stehen.
„Wenn du dir einbildest, mich mit einem Balg erpressen zu können, hast du dich getäuscht", seine Stimme war während der letzten Worte laut geworden.
„Schlampe ‚verdammte, du hast es doch nur darauf angelegt, mir so einen Bastard unterzujubeln." Seine cholerische Veranlagung schlug voll durch.

„Druck auf mich willst du ausüben?“ schrie er ohne Rücksicht auf die hellhörigen Wände und die frühe Stunde. „Das haben schon ganz andere bei mir versucht. So ein unbedarftes Würstchen wie dich drehe ich ruck zuck durch die Mangel, bis dir Hören und Sehen vergeht.“ Geräuschvoll zog er die Nase hoch um gleich darauf im Badezimmer zu verschwinden. Krachend wummerte die Tür in den Rahmen. Ihre Schwangerschaft hatte den verliebten Gockel in einen wütenden Teufel verwandelt. Andrea stand splitternackt und reglos im Raum, sie konnte die schlagartige Verwandlung des bis eben noch zärtlichen und anschmiegsamen Partners nicht begreifen. Jäh überkam sie das heulende Elend. Ihre Hormone, von dem keimenden Leben ohnehin etwas durcheinander gebracht, spielten verrückt und sie wurde von einem Weinkrampf geschüttelt. Wie in Trance zog sie sich an, packte ihre paar Habseligkeiten zusammen und flüchtete kopflos aus der Wohnung.

„Etwas Kaffee?“ Andrea hob ihren Kopf und sah Schubert fast Hilfe suchend an.
„Ja bitte“, nickte er, „hat er denn das Kind anerkannt?“
„An jenem Morgen, als ich weggerannt bin, flüchtete ich zu meiner Mutter. Bereits einen Tag später tauchte seine Mitarbeiterin auf und unterbreitete mir einen Vorschlag. Ich sollte das Lehrverhältnis im beidseitigen Einvernehmen lösen,
dafür würde er mir für ein Jahr ein volles Angestelltengehalt zahlen plus einer Abfindung. Ich musste versprechen, niemals den Namen des Vaters zu nennen, ansonsten drohte sie mir schlimme rechtliche Konsequenzen an. Sehr freundlich, aber bestimmt war sie, die Dame von der WAKE GmbH. Wir führten ein langes Gespräch, in dessen Verlauf sie mich davon überzeugte, das Kind zur Adoption freizugeben.“
„Darauf haben Sie sich eingelassen?“
„Keine Ahnung hatte ich damals. Mutter sagte, das wäre ein guter Vorschlag. Verwirrt, ratlos und irgendwie einfältig, wie ich zu diesem Zeitpunkt war, stimmte ich zu. Nach der Geburt….,

als winziges Bündel wurde....das Kind...weg, hinausgetragen...." Die junge Frau schlug zitternd ihre Hände vor das Gesicht und schluchzte.
„Davon habe ich mich nie wieder erholt. Noch heute schäme ich mich vor mir selbst, wenn ich daran denke. Ein kleines hilfloses Wesen...., mein Kind..., neun Monate habe ich es gespürt, es hat in mir gelebt..., sich bewegt..., und dann....., entsorgt, wie ein gebrauchtes Taschentuch."
Nervlich am Ende durch die verdrängte Erinnerung legte sie den Arm auf den Tisch, ließ ihren Kopf fallen und wimmerte leise vor sich hin.
„Für diese Schuld habe ich mit einem verpfuschten Leben bezahlt", sie sprach leise in den Tisch hinein ohne sich aufzurichten. „Gelegenheitsjobs als Kellnerin, Arbeit in einer Bar, Prostitution, Alkoholabhängigkeit."

Schubert vergaß für einen Moment, dass er sich in einem Ermittlungsgespräch befand. Spontan lief er um den Tisch herum und legte seine Hand auf ihre Schulter.
„Hören Sie doch auf sich schuldig zu fühlen!
Sünden, falls der Ausdruck die Situation in diesem Zusammenhang richtig beschreibt, hat ein anderer begangen. **Der** sollte sich mit Gewissensbissen herumschlagen, **der** müsste sich mit Zweifeln belasten, **der** und nicht Sie sind verantwortlich für Ihren etwas anders verlaufenen Lebensweg, **der** hat Sie dazu getrieben, das Kind fremden Eltern zu überantworten."
Andrea richtete sich auf und sah ihn mit roten verweinten Augen an. Während der verflossenen Jahre hatten Selbstvorwürfe ihre Freude am Leben fast zerstört. Niemals war sie in dieser Zeit einem Menschen begegnet, der so viel warmherziges Verständnis für ihre verquere Situation aufgebracht hätte wie dieser Polizist, der sie jetzt befragte. Andererseits war sie auch kaum einer Person begegnet, die vertrauenswürdig genug gewesen wäre, ihre Lebensgeschichte zu hören. Sie fühlte sich erleichtert wie nach einem Geständnis vor Gericht. Neben ihr stand eine Art

Beichtvater und sie wurde freigesprochen von einer bedrückenden und belastenden Vergangenheit.

„Entschuldigen Sie“, Schubert nahm seine Hand von ihrer Schulter und kehrte an die gegenüberliegende Tischseite zurück. Andrea seufzte, warum konnte er sie nicht da lassen, wo sie war? Mit dieser Geste, so spürte sie, drückte er ihr gegenüber eine tiefe menschliche Zuwendung aus. Vielleicht wirkte er auch deshalb so vertrauensbildend auf Frauen, weil er durch seine Veranlagung eben nicht, wie oftmals andere Männer, auf die rein körperlichen Merkmale und die damit verbundenen weiterführenden Gedanken fixiert war.

Unvermittelt entstand eine unnatürliche Stille zwischen ihnen und in diesem Schweigen spürte Schubert, dass die vom Leben gezeichnete Frau weitere Einzelheiten erwähnen wollte. Seine psychologische Grundregel – lächelnd Vertrauen aufbauen, abwarten – funktionierte.
„Es…, da wäre noch etwas.“ Andrea spürte, dass Schubert ihr auch bei dem letzten seelischen Schuldschein, den sie noch einlösen könnte, eine Hilfe sein würde.
„Ihnen möchte ich ein Geheimnis verraten, der Tod meiner…, meiner Tochter hängt damit zusammen.“
Schubert zwang sich unter Anspannung aller Kräfte seine Erregung zu unterdrücken, als er den allerletzten Abschnitt ihrer Lebensbeichte zu hören bekam, durch den sich das Mysterium über Marinas Selbstmord jäh aufhellte.

„Zum Kaffee“, kurz und knapp hatte das Mädchen am Telefon den Termin bestätigt. Andrea wartete an diesem windigen und regnerischen Novembernachmittag nervös und angespannt auf das Erscheinen eines Kindes, ihres Kindes, das erst vor einiger Zeit wie ein Phantom aus dem Schatten ihrer Vergangenheit aufgetaucht war. Nach der Geburt, als sie das halbfertige kleine Wesen in fremde Hände gegeben und damit einer unklaren

Zukunft ausgeliefert hatte, fühlte sie sich dem Leben nicht mehr gewachsen. Oft dachte sie daran sich umzubringen, scheiterte aber an ihrer eigenen Angst vor einem solchen Schritt. Selbst noch ein halbes Kind, fand sie keinen Ausweg aus der Krise. In diesem Tief ihres Lebens warf sie sich einem Mann an den Hals, eine Art Erlösung mit fatalen Folgen. Nach der Formel freundliche Zuwendung, Abhängigkeit, strenge Gewalt machte er sie gefügig. Hilflos in einer depressiven Phase gefangen, war sie zu schwach sich zu wehren.

Mit Alkohol betäubte sie ihren Ekel, wenn sie, die Angst vor ihrem Beschützer im Nacken, widerliche Freier bedienen musste, die gut zahlten. Ein dumpfes Leben ohne Nachdenken über Vergangenheit und Zukunft. Gelegentlich lag sie bis weit nach Mitternacht erschöpft und, von den entwürdigenden Erlebnissen gedemütigt, wach und konnte nicht einschlafen. Wie ein dunkles Gespenst erschien in diesen quälenden Stunden das Bild ihres Säuglings, von dem sie nur wusste, dass es ein Mädchen war.
Schließlich verwischte die Zeit Konturen, ihre Erinnerungen wurden fahl und unscharf, bis sie fast erloschen. Fremde Hilfe ermöglichten ihr eine Art Flucht vor dem drohenden Zuhälter im Hintergrund. Ihr Dasein pendelte zwischen Gelegenheitsjobs und Sozialhilfe. Überraschend und wie eine Bombe schlug eine Nachricht ein, die alles erneut total auf den Kopf stellte: Ihre Tochter meldete sich aus heiterem Himmel, oder besser, deren Adoptivvater.
„Friedrich Mahler“, dröhnte an einem sonnigen Morgen die sonore Stimme eines Mannes durchs Telefon, als sie vor einem halben Jahr nichtsahnend am Frühstückstisch saß. Zusammen mit seiner Frau Gerda hatte er das frei gegebene Kind angenommen und aufgezogen. Während sie der Mann ruhig distanziert über die Lage aufklärte, geriet ihre Psyche völlig durcheinander.
„Überlegen und verdauen Sie alles in Ruhe und übereilen Sie nichts.“ Damit überließ er sie ihrem Schicksal, das wieder einmal

eine Wendung genommen hatte, auf die ihre Persönlichkeit mit einer gestörten Erlebnisverarbeitung reagierte.

Nur so viel war ihr nach dem Gespräch klar geworden: Ihre Tochter hieß Marina und wollte unter allen Umständen ihre leibliche Mutter kennen lernen. Vier Wochen dauerte es, bis sie den Mut zu einem Treffen aufbrachte. Und eines Tages stand dieses Kind in ihrer kleinen Mansardenwohnung, ebenso ängstlich wie sie selbst – und ihr Ebenbild aus jüngeren Jahren.

Andreas Furcht, man würde sich verschämt anschweigen, erwies sich als grundlos. Bis in die späten Abendstunden, als sie ihr Adoptivvater abholte, plauderten sie fast ohne Unterbrechung.
Ein kinderloses Ehepaar, Friedrich und Gerda Mahler, seit Jahren mit Kinderwunsch, waren die neuen Eltern geworden und hatten ihren „Sonnenschein" auf den Namen Marina getauft. Zusammen bewohnten sie ein hübsches Reihenhaus. Ihr Leben verlief nach dem klassischen Familienmuster, Mann berufstätig, Ehegattin Hausfrau und total auf ihre Rolle als Mutter fixiert. In dieser Umgebung wuchs Marina wohlbehütet zum Kleinkind und jungen Mädchen heran. Im Alter von zwölf Jahren erfuhr sie die Wahrheit über ihre Herkunft, was sie zunächst ohne innere Anteilnahme verarbeitete.

Ab dem vierzehnten Geburtstag entwickelte sich, vielleicht als Folge der Pubertät, aber permanent stärker werdend, der Drang, jene Frau kennen zu lernen, der sie ihr Leben verdankte. Da ihre Adoptiveltern jeden Wunsch erfüllten, ermittelten sie mit Hilfe einer auf solche Fälle spezialisierten Agentur die gesuchte Person. So kam es zu diesem Anruf. Heute, nach dem schrecklichen Drama, wünschte sie sich oft, dieser Kontakt hätte nie stattgefunden. Doch noch saßen sie sich gegenüber und bauten eine harmonische Gesprächsatmosphäre auf. Während Andrea immer wieder verstohlen und heimlich in das mädchenhafte Gesicht blickte, berichtete Marina frei und offen über ihr

Umfeld. Schwärmerisch und total verliebt schilderte sie ihren Freund Frank, den ersten in ihrem noch jungen Leben.

Nur als sie stolz einen neuen Ausbildungsplatz erwähnte, hob ihre Mutter entsetzt den Kopf und schien kurz vor einer Panik zu sein. Zwei blaue unschuldige Augen blickten sie fragend an, als das Mädchen erschreckt inne hielt und kindgemäß fragte: „Habe ich etwas falsch gemacht?"
„Wie? Nein, aber, wie bist du ausgerechnet auf die Firma WAKE gekommen?"
„Ach, Vater hat das organisiert mit Bewerbung, Vorstellung und so. Dann hat es ganz schnell geklappt mit meiner Lehrstelle."
Andrea starrte lange ins Leere und schwieg betroffen.

Als sie sich an einem diesigen Novembertag wieder einmal trafen, spürte ihre leibliche Mutter eine ungewohnte Anspannung im Verhalten der fast Sechzehnjährigen. „Hast du Kummer, kann ich dir behilflich sein?" fragte sie schließlich besorgt.
„Wie? Was? Nein, nein!" Verlegen rückte sie ihre Brille zurecht und strich sich mit der Hand nervös und fahrig über das Haar. Forschend und besorgt blickte Andrea ihrer wiedergefundenen Tochter ins Gesicht, deren rosige Gesichtsfarbe einer blassen, stellenweise unnatürlich geröteten Haut gewichen war. Auch sonst schien die Art und Weise, wie sie sich diesmal gab, weit von dem entfernt, was Andrea in Erinnerung behalten hatte. Nicht mehr der ungezwungene Plauderton und die unbekümmerte Sprechweise, kein befreiendes Lachen, keine entspannte Miene oder kein spitzbübisches Lächeln im Gesicht der Sechzehnjährigen. Ihre Augen leuchteten nicht mehr in diesem hellen, strahlenden Graublau , der Augenfarbe, die sie von ihrem Vater geerbt zu haben schien. Andrea hatte in den vergangenen Jahren die Erinnerung an Walter Keil gewaltsam verdrängt, nur die Farbe seiner Augen konnte sie nicht vergessen. Lebhaft wurde sie wieder daran erinnert, als das Produkt ihrer längst

vergangenen Intimitäten in Gestalt dieses schmalen sechzehnjährigen Teenagers vor ihr saß.

Damals hatte Marina auch freudig erregt von Frank, ihrer ersten Liebe, berichtet. Heute dagegen wirkte ihr Gesicht eher eingefallen, fast grau, die Augen stumpf und glanzlos. Fragen nach Frank beantwortete sie so einsilbig, dass Andrea bei erneuter Erwähnung des Namens fast Schuldgefühle bekam. Oft stockte die Unterhaltung, Marina schien abgelenkt oder starrte ins Leere auf einen unsichtbaren Punkt, der in weiter Ferne zu liegen schien. Pausen zwischen den wenigen gewechselten Sätzen wurden immer länger, die drückende Stille im Raum raubte ihr fast den Atem. Wirklich gefreut hatte sich Andrea diesmal auf das Wiedersehen mit ihrem Kind, aber dessen Neigung mit seiner Mutter zu reden, schien in jedem Augenblick geringer zu werden.
„Marina", Andrea wirkte verzweifelt, „sag' bitte, was los ist. Bist du meinetwegen verärgert?"
„Was soll diese blöde Fragerei? – Nichts ist los."
Marinas sanfte, fast scheue Art, hatte Andrea immer beeindruckt. Jetzt war sie durch den Zornesausdruck verunsichert und schwieg betroffen. Marina hob den Kopf leicht an, ihre Augen, eben noch stumpf und glanzlos, begannen sich mit Tränen zu füllen. Ihr zerbrechlich wirkender Körper wurde von heftigem Schluchzen geschüttelt. Andrea, jetzt ganz Mutter, sprang spontan auf. Mit einem Taschentuch trocknete sie die Tränen ihres verzweifelten Kindes. Als ob diese Geste ein Ventil geöffnet hätte, brach Marinas zur Schau gestellt Mischung aus Zorn und Selbstsicherheit zusammen. Schluchzend umklammerte sie die Hüfte der neben ihr stehenden Frau und weinte hemmungslos weiter.

Andrea wagte kaum zu atmen und rührte sich nicht. Lange verharrten sie in dieser Stellung, dann legte Andrea sanft ihre Hand auf den Rücken des verzweifelt wirkenden Bündels Mensch

neben ihr. „Sag‘ mir bitte, was dich bedrückt, vielleicht kann ich dir helfen!“
Nach, wie es schien, unendlich langer Zeit, ein tiefer Seufzer. „Mama, ich, also ... ich bekomme ein Kind,“ flüsterte eine verzweifelte Stimme in den Raum.

In Andreas Kopf kreisten die Gedanken. Frank und Marina, beide unerfahren, hatten beim ersten Mal wahrscheinlich an alles andere gedacht, nur nicht an Verhütung. In der Küche wurde es still, man hörte Wasser aus dem Hahn in die Spüle tropfen. „Mach dir keine Sorgen“, Andrea versuchte ein Lächeln, „du hast deine Eltern, die dich angenommen und umsorgt erzogen haben. Von denen kannst du Hilfe erwarten. Auch von mir natürlich, falls du das willst und ich das kann.“

Der zierliche Teenager sprang auf. Bei ihren Treffen zuvor wurde immer eine körperliche Distanz zwischen ihnen eingehalten. Diesmal breitete Marina ihre Arme aus, zog sie an sich und drückte ihr einen Kuss auf die Wange. Dann, nach einigem Zögern und mit zitternder Stimme: „ Aber da ist noch etwas, Frank und ich, wir..., wir waren niemals, also...“, verwirrt und scheinbar ratlos brach sie ab. Marina hatte wieder Platz genommen, aber ihre Körperhaltung verriet äußerste innere Anspannung. Andrea unterbrach sie: „ Jetzt bitte keine Hektik, eins nach dem anderen. Du sprichst zu Hause erst einmal mit deinen Eltern, dann sehen wir weiter.“ Ihre wiedergefundene Tochter schien irgendwie erleichtert zu sein, den eben begonnenen Satz nicht zu Ende führen zu müssen und versicherte eine Spur zu eifrig: „ Du hast Recht, wenn ich heimkomme...., gleich zu Hause werde ich mit ihnen sprechen. Jetzt hab ich ja drei, Vater, Mutter und dich als Mama. Eigentlich ja vier, hast du noch Kontakt zu meinem richtigen Papa?“

Ihr schroffes „Nein“ ließ keinen Zweifel daran, dass sie keine weiteren Fragen wünschte. Marina ließ nicht locker.

„Erzähl mir von ihm, was war er für ein Mann? Warum habt ihr euch vor meiner Geburt getrennt? Bitte erzähl mir doch endlich die Wahrheit über ihn."
Bei dem munteren Plauderton war ihr nicht aufgefallen, dass sich in das Gesicht der Frau, die sie Mama nannte, angstvoll verzerrte.
„Was sollen diese ollen Kamellen aus der Vergangenheit, ich möchte an deinen Papa nicht mehr erinnert werden."
„Aber ich, bitte, jetzt wo ich selbst bald Mutter werde, sollte ich wissen, wer mein Papa war."
„Marina, lass die Vergangenheit ruhen, es ist besser so."
„Bitte, bitte, bitte!"
Marina, ich weiß nicht, ob es richtig ist, wenn ich das jetzt erzähle."
„Bitte, was kann daran falsch sein? Mama, hab doch Vertrauen zu mir!"
„Den Namen deines Vaters habe ich niemals preisgegeben. Keine staatliche Stelle kennt ihn, kein Amt ist darüber informiert. Behördlich bist du ja als Marina Mahler registriert. Mich, deine leibliche Mutter, kennst du, das sollte reichen."
„Mama, jetzt wo ich selbst Nachwuchs erwarte, darfst du mich auch nicht mehr wie ein Kleinkind behandeln. Habe ich denn nicht ein Recht, den Namen meines Papis zu erfahren?"
Heranwachsende Teenager können sehr penetrant und fordernd werden, wenn sie sich etwas in den Kopf gesetzt haben. Marina gab keine Ruhe. Andrea hatte sich später immer wieder die Frage gestellt, warum sie in diesem Moment schwach geworden war und dem Drängen ihrer Tochter nicht widerstehen konnte. Vermutlich war es jener Augenblick im Leben eines Menschen, in dem man gefühlsmäßig blitzschnell eine falsche Entscheidung trifft, deren Folgen nicht absehbar sind und die fürchterliche Konsequenzen nach sich zieht. „Schön, du schlüpfst als werdende Mutter in die Rolle einer fast erwachsenen Frau. Möglicherweise ist das jetzt ein Zeitpunkt dir die Wahrheit mitzuteilen. Als ich den Namen deiner Lehrstelle hörte, die Firma

WAKE, war ich schockiert, das hängt mit deinem Vater zusammen."
„War Papa dort beschäftigt?"
„Das auch, er war..., also er war der Chef, Walter Keil ist dein Vater."

Marinas Hände krallten sich am Tisch fest, ihr Gesicht, blutleer und kalkweiß, erstarrte maskenhaft. Für Sekunden verharrte sie unbeweglich wie eine Wachsfigur. Dann fing sie so laut an zu schreien, dass sich ihre auf der anderen Seite sitzende Mutter unwillkürlich die Ohren zuhielt. Ohne Ankündigung sprang sie auf, riss in der Garderobe ihren Anorak vom Haken und verschwand durch das Treppenhaus nach unten.

„Ich habe sie nie wiedergesehen", Andrea hielt die Hände fast wie ein Schutzschild vor ihr Gesicht.
„Nichts in meinem Leben habe ich richtig gemacht. Erst mein Kind in fremde Hände gegeben, dann noch umgebracht. Niemals hätte ich den Namen ihres Vaters auch nur andeutungsweise preisgeben sollen."
Schubert schüttelte verständnislos den Kopf.
„Wieso rastet so ein junges Ding aus, nur weil der Firmenchef ihr Erzeuger ist? Auch wenn eine solche Sachlage nirgends aktenkundig wäre, durch eine DNA-Analyse wäre das zu beweisen gewesen. Sie hätte enorme finanzielle Vorteile rausholen können."
„Genau so habe ich gedacht, diesmal wollte ich mich nicht billig abspeisen lassen und um eine Entschädigung für meine wiedergefundene Tochter kämpfen."
„Vermutlich wäre das nicht nötig gewesen, Keil hätte sich wahrscheinlich stillschweigend auf einen außergerichtlichen Deal eingelassen."
„Iss ja nun vorbei, ausgelöscht ist sie, nie wieder wird sie zurückkehren."
Laut schluchzte die ihm gegenübersitzende junge Frau auf.

„Tja, aber warum? Könnte die Tatsache, dass sie den Namen ihres Vaters erfuhr, der Grund gewesen sein?"
Sie zuckte hilflos mit den Schultern, holte tief Luft und überlegte.
„Herr Doktor Schubert, ..."
„Lassen Sie diesen Scheiß Doktor weg", winkte er aufgeregt und in ungeduldiger Erwartung ab.
„Eventuell begehe ich die nächste Dummheit, wenn ich Ihnen noch ein paar Dinge verrate, aber zu Ihnen habe ich einfach Vertrauen. Nach der Trauerfeier besuchte mich Frank, ihr Freund. Marina und er, angeblich hat es keine Intimitäten zwischen den beiden gegeben."
„Mädels in dem Alter kennen schon mal mehr als einen Jungen."

„Einen Tag später lag ein unfrankierter Brief von ihr in meinem Kasten, der sämtliche Zweifel beseitigte. Irgendjemand musste ihn aufbewahrt und dann eingeworfen haben. Ein letztes", sie atmete schwer, „Lebenszeichen von,….von..," ihre Stimme wurde durch leises Wimmern unterbrochen.
Schubert schwieg geduldig und wartete.
„Dieses Appartement in Hamburg gibt es immer noch. Dort hat er sie…, hat er sie…, genau wie mich vor sechzehn Jahren."
Schubert begriff nichts und versuchte die unklar gestammelten Sätze zu deuten.
Jäh durchzuckte ihn eine Erkenntnis.
„Sollte Walter Keil??? Oh Gott, mein Gott, Marinas ungeborenes Kind war vom eigenen Vater?"
Andrea hielt die Augen geschlossen und schwieg, jeder weitere Kommentar erübrigte sich.
Eine lange Zeit der Stille folgte. Unerwartet entlud sich ihr aufgestauter Kummer in einer Selbstanklage:
„Alles ist meine Schuld. Misserfolge, mehr als Misserfolge habe ich bisher nicht geschafft."
Schubert, der mit wachsender Fassungslosigkeit zugehört hatte, vergaß zum zweiten Mal an diesem Tag seine Aufgabe als Polizeibeamter. Langsam ging er zu der verzweifelt heulenden

Frau und umfasste ihre Schultern. Während ihrer Erzählung war kalte Wut in ihm aufgestiegen. Es passierte ihm selten, dass er seine Fassung verlor.
„Lassen Sie endlich die alte Leier von Schuld und Versagen." In seinem Zorn schrie er fast die Worte heraus. „Versager ist der geile Bock, der Sie erst missbraucht und dann, in der Krise, wie eine faule Frucht weggeworfen hat. Dieser Typ ist doch der Verbrecher und hat Sünde auf sich geladen, nicht Sie."
Schubert ließ ihre Schultern los und kehrte, immer noch aufgewühlt, auf seinen Platz zurück.
„Für seine Missetaten musste er teuer bezahlen", presste er kaum hörbar zwischen seinen zusammengedrückten Zähnen heraus.
„Weiß außer Ihnen noch jemand davon?"
„Nnneiin", durch ihr unsicheres Zögern wurde Schubert misstrauisch.
„Marinas Freund Frank?"
Nach endlosem Stillschweigen nickte sie.
„Frank, und damit sicher auch Addy, kennen die Gründe", sinnierte Schubert. Seine Beweiskette, in den vergangenen Tagen mehr aus dem Gefühl heraus aufgebaut, war komplettiert. Statt Freude oder Genugtuung geriet er in eine Stimmungslage tiefster Niedergeschlagenheit. Vor seinem nächsten Schritt graute ihm.
Entgegen seinem Mitgefühl musste er einen geistig zurückgebliebenen Menschen der Strenge des Gesetzes ausliefern. Dabei wollte dieser selbst machtlose Minderjährige nur andere Schwache behüten und beschützen.
„So ist die Welt, grausam und unberechenbar, warum kann sie nicht schöner sein?" resignierte er.

Eine Art erdrückender Grabesstille breitete sich im Raum aus. Wie abgesprochen hoben beide gleichzeitig den Kopf. Auf Andreas Gesicht deutete sich zaghaft ein eher trauriges Lächeln an.

Schwerfällig stand Schubert auf und verabschiedete sich. Auf seinem gesamten Weg durch das Treppenhaus fühlte er, wie die kraftlos über das Geländer gebeugte Gestalt ihm nachblickte.

Marinas tödlicher Schatten

Das Ermittlungsteam im Mordfall Walter Keil diskutierte am Abend in Schuberts Haus über die Ergebnisse der Nachforschungen. Eduard Vox und Herbert Grün wirkten gereizt. Angeblich sichere Fakten, Grundlage für einen Haftbefehl gegen Heike Blanken und ihren Liebhaber, wurden durch den zuständigen Richter vom Tisch gewischt, zu dürftig schien ihm die Beweislage.

Detjen als Dienststellenleiter schnauzte daraufhin gehörig herum und rügte ihre scheinbar oberflächliche Polizeiarbeit.

Manuel, Schuberts Lebensgefährte, Hobbykoch und bekennender Gourmet, konnte aus Zeitgründen nur eine serbische Bohnensuppe anbieten, weil ihm Unterrichtsvorbereitungen und Korrekturen mal wieder seine gesamte freie Zeit auffraßen. Für Vox, der einen Teil seines Wohlbefindens aus der Erfüllung menschliche Grundbedürfnisse zog, nicht gerade ein Stimmungsaufheller. Erst als zusätzlich Würstchen angekündigt wurden, ging es ihm etwas besser.

„Wegen eurer geplanten Verhaftung hättet ihr besser Rücksprache gehalten. Wenn der Richter die kärglichen Fakten rügt, ist das völlig in Ordnung."

„Mensch, Jens, kehr´ nicht den Teamleiter raus und fang´ auch noch an auf uns rumzutrampeln, oder weißt du etwa mehr als wir?"

„Essers Tochter, die Superpuppe mit dem Paradiesvogel - Outfit, hat über die Dienststelle einen Termin bei mir durchgedrückt."

„Und?"

„Nichts und, versuchte mich zu überreden, ich sollte sie zum Essen ausführen. Hat die eine Ahnung von Polizeiarbeit. Aber einige interessante Dinge habe ich quasi nebenbei erfahren. Keils rechte Hand, Heike Blanken, verschwand am Mordtag tatsächlich gegen Mittag aus der Firma. Ein Großkunde aus Wolfsburg drohte wegen fehlerhafter Ventile abzuspringen. Dem Chef der WAKE GmbH fiel in Panik nichts Besseres ein, als seine Spitzenkraft in Marsch zu setzen. Übrigens, ihre Aufgabe hat sie mit Bravour erledigt, ein Phänomen, diese Frau. - Was euren vierschrötigen „Mördertyp" angeht, hat der für die Tatzeit ein lupenreines Alibi. In der Nacht, als Keil an seiner Kopfwunde verblutete, begleitete er seine Tochter und drei andere Mädchen zu einer Rockfete, wohl als Bodyguard. Drei junge Damen sind bereit, das zu bezeugen."

Herbert Grün und Eduard Vox schwiegen verlegen. Sie waren von dem Verdächtigen mit einem lapidaren „war in dieser Nacht unterwegs" abgespeist worden und hatten nicht weiter nachgefragt, eine peinliche Unterlassung. In diesem Fall vermochte nicht einmal der Mokka, den Partner Manuel nach dem Essen servierte, Sorgenfalten auf dem griesgrämigen Gesicht von Vox zu glätten.

„Wir hätten einen weiteren Verdacht", Grün sah vorsichtig zu Jens Schubert hinüber. „Sandra, Auszubildende aus der kaufmännischen Abteilung, wurde von Keil kurz vor seinem Tod zu einer ´Information über Betriebsabläufe´ eingeladen. Aus der Belegschaft wusste jeder Bescheid, was eine solche Einladung bedeutete. Von ihrem Vater sind zwei Gewaltdelikte aus seiner Jugendzeit bekannt. Eduard und ich werden hier erneut ansetzen."

Schubert winkte mit der Hand ab.

„Nicht mehr erforderlich, der Schuldige ist eingekreist. Detjen hat auf meine Veranlassung einen weiteren Haftbefehl beantragt."

Seine beiden Teamkollegen starrten fassungslos auf Schubert.

„Lächerlich, du glaubst doch nicht im Ernst, dass dieser Super - Pingel von einem Richter das Ding unterzeichnet."

„Hat er schon."

„Hähh? Wieso informierst du uns erst jetzt? Wer ist denn dieser Unbekannte?"
Schubert schwieg eine Weile, um sich dann an seine Kollegen zu wenden:
„Detjen ruft an, wenn wir unsere Aktion starten können."
„Mensch, unser Doktor wirbelt heute Abend alles durcheinander", staunte Vox, der offensichtlich von der Entwicklung überrollt wurde.
Wie zur Bestätigung stand Lebensgefährte Manuel im Raum.
„Vermutlich bleibt der Abwasch wie üblich an mir hängen. Euer Dienststellenleiter beordert euch zur Vernehmung."

Auf dem Weg ins Polizeigebäude instruierte Schubert seine Kollegen, dass er größten Wert darauf lege, die folgende Befragung allein durchzuführen. Am Eingang begrüßte sie ein Uniformierter. „Oben im Verhörzimmer sitzt er, hat keinen Widerstand geleistet."
Schubert spurtete die Treppen hoch. Eduard Vox und Herbert Grün blieben schnaufend zurück. Mit Schwung riss er die Tür zum Verhörzimmer auf. Flankiert von zwei Polizisten hockte dort ein großer kräftiger Kerl. Sein Gesichtsausdruck verriet keine Angst, eher Ratlosigkeit, Erstaunen und Naivität.„Danke", er nickte den Bewachern zu, „Sie können gehen."Zögernd, mit einem besorgten Blick auf den stämmigen jungen Mann, verließen sie das Zimmer.„Hallo Addy", ruhig trat Schubert näher und gab ihm fast artig die Hand.„Wir kennen uns ja schon, wie geht´s deiner Lehrerin?"
„Ach, sie war schon wieder bei uns in der Klasse."
„Na prima! Weißt du, wir gehen nach nebenan, hier ist es zu ungemütlich."
Vox und Grün blickten etwas skeptisch auf den Hünen, der Schubert durch den Gang folgte. Im Dienstzimmer lotste Schubert den Verdächtigen an den runden Tisch für Besucher und gruppierte ihn zwischen Vox und Grün. Er selbst wählte den Platz genau gegenüber. Zur Überraschung seiner Teammitglieder

folgte Schubert keinem streng regulierten Befragungsritual, sondern verwickelte den Jungen in eine Gesprächsplänkelei, fast eine Art Kaffeeklatsch. Im Mittelpunkt stand der Jugendhof Waldstedt, Tagesabläufe, Personal, Freizeitaktivitäten, Verpflegung und andere zum Teil belanglose Dinge. Addy, der anfangs stockend berichtete, taute zunehmend auf. Zögernd verlor er seine Scheu und plapperte zum Schluss so munter drauflos, dass er Schuberts jäh geführten verbalen Überraschungsstoß überhaupt nicht bemerkte.
„Warum hast du Sven so hart auf die Treppe geworfen?"
Im Ton seiner bisherigen Schilderungen fuhr er ohne Zögern fort: „Der wollte sie totmachen."
„Wen?"
„Na Karen, Karen Braun."
„Und woher weißt du das?"
„Im Keller lag sie auf einer Matte, Sven war da auch, sie machte komische Geräusche."
„Und dann?"
„Gepackt hab ich Sven, aber der hat sich gewehrt. Da hab ich seinen Kopf auf die Treppe gehauen."
„Addy, du weißt, dass er daran gestorben ist."
Mit einer Mischung aus Unsicherheit und Unschuld sah er zu Schubert hinüber, so, als ob er nicht begreifen könne, was daran schlimm sein sollte.
„Wir, wir müssen dich leider hier behalten."
„Baumann, unser Leiter, schimpft immer, wenn wir nachts nicht kommen."
„Mach dir keine Sorgen, ich rufe im Jugendhof an und erkläre das."
Schubert verständigte die Wache und der Beschuldigte wurde in eine kleine Arrestzelle gebracht, die für solche Gelegenheiten vorgesehen war.

„Und der Mordfall Keil?" fragte Herbert Grün seinen Teamleiter etwas ungehalten, als Addy draußen war.

„Kommt morgen früh dran, eins nach dem anderen."
„Was soll das Herumstochern in alten Fällen, die längst abgeschlossen sind? Sven Tillichs Tod wurde als Unfall eingestuft", Vox winkte ab.
„Hab ich auch erst gedacht. Bei meinen Aufenthalten im Jugendhof kamen Zweifel. Dieser Hausmeister hatte sofort Vertrauen zu mir."
„Dir vertraut scheinbar jeder, egal ob Männlein oder Weiblein", Vox konnte seinen Neid nur mühsam unterdrücken.
„Georg Bruck, Faktotum und Mädchen für alles im Jugendhof, war dabei eine große Hilfe. Auf Grund seiner Aussage kann ich jetzt sehr genau überblicken, was sich in jener Nacht abgespielt hat, als dieser Heimzögling umkam."
„Interessant!" Grün und Vox lehnten sich erwartungsvoll zurück.
„Im Mittelpunkt steht Karen Braun, sie gehört zum Heimpersonal. Diese durchaus anziehende junge Frau ist ein Typ, der nicht in eine solches System passt. Mannequin würde ihre Erscheinung besser beschreiben und genau so lief sie herum. Gertenschlank, hautenge Jeans, kurzes T-Shirt, Bauchnabel frei und so weiter. Sicherlich problemlos in einem Seniorenheim, aber die jungen Männer, für die sie Verantwortung tragen sollte, standen unter einem pubertär bedingten Hormondruck. Zwangsläufig schlitterte das gute Kind in eine leidenschaftliche Liebesaffäre mit einem ihrer Heimzöglinge hinein. Unter der Scheune des ehemaligen Gutshofes befindet sich ein Keller. Dorthin konnten sie sporadisch verschwinden ohne aufzufallen. Fragen der Sozialisation von Jugendlichen in die Gesellschaft dürften sie da unten wohl eher weniger diskutiert haben. Möglicherweise wäre das erotische Abenteuer der Liebenden geräuschlos beendet worden. Dieser Sven Tillich stand kurz vor seinem achtzehnten Geburtstag und hätte mit Erreichen der Volljährigkeit den Jugendhof verlassen müssen.

Aber da war noch Addy, eine Art Wickelkind, was nicht erwachsen werden konnte, und dem Tandem Romeo und Julia mit permanenter Hartnäckigkeit hinterherspionierte. Seine Psyche ist durch eine starke Komponente zur Hilfsbereitschaft geprägt. Wird sein Beschützerinstinkt geweckt, reagiert dieser sonst so harmlose Junge aggressiv und gewaltbereit. Karen Braun und Sven Tillich taumelten völlig losgelöst von unbedeutendem irdischen Kleinkram auf den Höhepunkt ihres Liebesspiels zu, als Addy sie im Keller, zu dem er übrigens noch einen anderen Eingang kannte, überrascht hat. Den Rest hat er eben selbst erzählt. Ihr Gestöhn muss er mangels eigener Erfahrung als einen Ruf nach Hilfe falsch gedeutet haben. Sven Tillich, laut Aussage des Hausmeisters ein guter Kerl, verlor dadurch sein Leben."

„Deine Hypothese ist etwas sehr eigenwillig zusammengereimt", Herbert Grün schüttelte unwillig den Kopf.

„Man hat da unten eine völlig angezogene Leiche gefunden, den Bericht habe ich sehr gründlich gelesen. Intimitäten sind aber nach meinem Kenntnisstand nur wenigstens teilweise unbekleidet möglich."

„Woher weißt du denn das?", griente Eduard Vox hinterhältig.

Verärgert winkten die anderen zwei ab.

„Als ihr Geliebter regungslos blutend auf der Treppe lag, hat die Braun durchgedreht und ist nackt, wie sie war, hoch in die Wohnung zum Heimleiter gelaufen, wie mir der Hausmeister andeutete. Baumann und sein korpulenter Feldwebeltyp Theresa Walberg reagierten unverzüglich mit Gegenmaßnahmen.

Eine so delikate Angelegenheit durfte auf keinen Fall an die Öffentlichkeit gelangen. Liebesbeziehungen zwischen einer zum pädagogischen Personal gehörenden jungen Frau und einem ihr anvertrauten Jugendlichen hätten das Ende dieser Institution bedeuten können. Karen Braun wurde auf ihr Zimmer gebracht mit der Maßgabe, dort in den nächsten Stunden nicht auffällig in Erscheinung zu treten.

Noch in der gleichen Nacht krempelten sie den Keller um und beseitigten sämtliche Spuren. Sven wurde wieder angezogen - so gut es eben ging."

Schubert räusperte sich und fuhr dann zügig fort:
„Kaltblütig wartete die Heimleitung zwei Tage, ehe sie Bruck, den Hausmeister, unter einem Vorwand in dieses unterirdische Refugium schickte. Wie geplant, fand er die Leiche und verständigte die Polizei.
Ob dieser arme Kerl, der durch ein Missverständnis ums Leben kam, gleich tot war oder langsam verblutet ist, darüber müssten sich die Sachverständigen vor Gericht Gedanken machen. Unsere Aufgabe ist erfüllt."
„Mensch Jens, hätt´ ich dir nicht zugetraut", voll Bewunderung blickte Vox auf seinen Teamleiter.
„Bei allem Verständnis, durch diesen „Nebenermittlungserfolg" kommen wir im Mordfall Keil keinen Schritt weiter."
„Dieses Nebenprodukt, wie du so schön formuliert hast, ist, psychologisch gesehen, der Schlüssel dazu. Schluss für heute. Könnt ihr euch morgen früh um das Frühstück kümmern?
Bitte vergesst den Orangensaft für Addy nicht."
„Was denn, soll dieser Mörder etwa hier im Dienstzimmer mit uns frühst…?"
„Ja, der soll!"

„Wie geht es unserem Delinquenten?", erkundigte sich Schubert interessiert am nächsten Morgen. Aus den oberen Räumen strömte ein Geruch von Kaffee durch das Haus.
„Ruhig, nicht verhaltensauffällig, hat sich bereits gewaschen und ist angezogen", erstattete der vor ihm stehende Polizist kurz und knapp Bericht. Aus dem Nebenraum spurtete ein athletisch gebauter junger Mann auf ihn zu.
„Hallo, Herr Doktor!"
„Moin, Herr Kommissar zur Anstellung Schröder", flachste Schubert zurück. Wolfgang Schröder, relativ neu in der Dienststelle, jung, dynamisch, Präzisionsschütze, Karatekämpfer, war damals bei den Ermittlungen zur Schulkatakombe durch eigenes Verschulden in eine prekäre Situation geraten.

Im riesigen Bunkersystem unter der lokalen Berufsschule hatte er Herbert Grün, einen Kollegen Schuberts aus der EP8, schützen und bewachen sollen. Von dem Phantom, das sie identifizieren und sicherstellen wollten, war er überlistet und in einen fensterlosen Raum gesperrt worden.
„Detjen hat mich beauftragt bei den Ermittlungsgesprächen anwesend zu sein und den Mordverdächtigen nicht aus den Augen zu lassen."
„Mordverdächtig ist eine leicht fehlerhafte Beschreibung für diesen harmlosen Jungen. Ehe er zum Täter wird, müssen eine Reihe von Merkmalen aktiviert werden."
„Ehrlich gesagt, verstehe ich nicht."
„Ist auch höhere Psychologie."
Addy, von Schröder mit hartem Griff am Arm gepackt und festgehalten, erwiderte Schuberts freundliche Begrüßung artig und wie es schien, erleichtert.
„Lassen Sie ihn bitte los", wies Schubert den Bewacher vor dem Dienstzimmer an, „und bleiben Sie während unseres Gesprächs draußen."
„Richtig!" schrie Herbert Grün durch die halbgeöffnete Tür, „der Schröder mit seinem sprichwörtlichen Appetit frisst uns glatt fünf Brötchen weg."
Addy, heißhungrig wie Sechzehnjährige sind, langte kräftig zu und schien sich nach kurzer Eingewöhnung in dieser Runde durchaus wohl zu fühlen. Schubert nickte zufrieden, Teil eins seines Plans funktionierte reibungslos. Zwischen einzelnen Bissen wurde er in einen harmlosen Klönschnack verwickelt. Fast schien es, als würden beide ihre Frühstücksgespräche genießen. Bereitwillig gab der junge Mann Auskunft über seinen Freund Frank und dessen Freundin Marina, in die er wohl auch verliebt gewesen war. Freimütig informierte er die Runde über die Szene mit Erik, dem Anführer der Jugendlichen im Heim, der Marina belästigen wollte.
„Den Arm auf den Rücken gedreht und zu Boden geknallt hab´ ich den, war doch richtig, oder?"

Schubert bedeutete Vox, der ungeduldig eine Frage stellen wollte, sich zurückzuhalten.
„Ja, sicher!“
„Euren Platz im Keller hab´ ich mir angeguckt, echt gemütlich“, drehte Schubert das Gespräch vorsichtig in die beabsichtigte Richtung.
„War er auch, keiner störte, die blöden Kerle kamen da nicht rein.“
„Hat Frank da unten auch über Marina gesprochen?“
„Klar, weiß ich jetzt alles, warum die den Tablettenscheiß...., Addy brach ab und schluckte. Dieser Keil, eine echte Drecksau.“
„Na Addy!“ wehrte Schubert beschwichtigend ab und setzte im gleichen Moment zu einer letzten, alles entscheidenden Frage an:
„Wie bist du denn damals zur Firma WAKE gekommen?“
Der Junge, in seine Erzählung vertieft, bemerkte die Wortfalle nicht, in die er im gleichen Moment tappte.
„Auf dem Rad, dreimal musste ich abends hinfahren, ehe ich ihn treffen konnte.“
„Und?“
„Dann hat er mich angebrüllt, wollte irgendwas von einer Abteilung wissen, in die Büsche musste ich abhauen. Danach kam er wieder aus so einer Halle raus und stellte sich mir in den Weg. Immer an Marina musste ich denken, die da unten liegt, in so einem engen Kasten, wegen dem. Da hab ich´s eben gemacht.“
„Was?“
„Ja, den Arm verdreht und als er am Boden lag, noch den Kopf…, na ja, er war dann ganz ruhig.“

Bedrückende Stille herrschte nach diesem Geständnis im Zimmer.
„Addy, iss bitte noch dein Brötchen zu Ende, unsere Kollegen werden dich später von hier wegbringen.“

„Mordfall Keil gelöst“, stellte ihr Chef Detjen erleichtert fest. Gleich nach dem Abtransport war er nach oben gekommen um zu gratulieren.
„Gute Ergebnisse“, lobte er, nicht ohne den Blick missbilligend über die reichlich gedeckte Frühstückstafel schweifen zu lassen.
„Na ‚Doktor, Freude scheint bei Ihnen nicht aufzukommen.“

Jens Schuberts Gesichtsausdruck bestätigte diese Aussage. Seine Mimik deutete eher auf eine verkniffene bis verzweifelte Seelenlage hin. Ohne Reaktion nahm er die Kommentare zur Kenntnis und enthielt sich einer Äußerung. Wie sollte er auch den im polizeilichen Denken verhafteten Mitarbeitern erklären, dass er sich elend fühlte und schämte? Mit psychologischen Tricks hatte er Addy, den geistig zurückgebliebenen Jungen, das Schuldeingeständnis zu einer Tat entlockt, für die er, aus der Sicht dieses bedauernswerten Individuums, durchaus Verständnis aufbringen konnte. Aber Mord bleibt Mord, daran gab es nichts zu deuten. Schließlich arbeitete er für die rechtsstaatliche Ordnung und nicht als Pastor einer Kirchengemeinde, der durch Hinweis auf den Allerhöchsten in Verbindung mit dem Beichtgeheimnis schweigen durfte und musste.
„Meine Herren“, ihr Vorgesetzter wirkte aufgeräumt und gut gelaunt, „wegen des schnellen Fahndungserfolges im Mordfall Keil will ich großzügig über das da“, sein Finger wies auf die Tafel, „hinwegsehen. Genießen Sie den Erfolg und frühstücken Sie in Ruhe zu Ende. Melden Sie sich bei mir, wenn Sie fertig sind. Routinearbeiten sind leider liegen geblieben und es warten eine Menge anderer Aufgaben.“ Ohne ein weiteres Wort verließ er den Raum.

„Jens, zeige mal die optimistische Grundeinstellung, die du uns immer predigst. Im Moment siehst es danach aus, als hättest du das gesamte Elend der Welt auf deinem Gesicht vereinigt.“

Schubert nickte zustimmend. Leider schaffte er es auf Grund seiner miserablen Stimmungslage nur unvollkommen, seinem Gesichtsausdruck eine positive Ausstrahlung zu geben.

„Hallo Frau Bruns!“
Eine etwas füllige Dame Mitte vierzig stand auf dem Treppenabsatz und lächelte unsicher, während Andrea in ihrem Gedächtnis nachdenklich die Bekannten der vergangenen Jahre aufrief. Irgendwo waren sie sich begegnet, aber wo? Eine freundliche Ansage half über die Gedächtnislücke.
„Wir kennen uns, Blanken, Heike Blanken von der WAKE GmbH.“
Andrea bekam eine Gänsehaut und zuckte zusammen. Gestern Abend, als überraschend das Telefon klingelte und eine weibliche Stimme um ein Treffen bat, hatte sie nichts ahnend zugestimmt. Der hingenuschelte Name der Gesprächspartnerin war kaum verständlich an ihr Ohr gedrungen. Auch als sie keine Angaben über den Zweck verlauten ließ, war Andrea bedenkenlos einverstanden. Was sollte schon passieren? Jetzt, in diesem Moment, als die Frau vor ihr stand und ungute Erinnerungen aus einer verzweifelten Lebensphase wie eine Woge hochgespült wurden, bereute sie den Entschluss. In einer Art Impulsreaktion war sie versucht in die Wohnung zu flüchten und der verhassten Person die Tür vor der Nase zuzuschlagen, doch die höfliche Stimme vor ihr ließ sie zaudern.
„Leicht gefallen ist mir dieser Schritt nicht, aber ich muss unbedingt mit Ihnen reden, falls Sie dazu bereit sind.“
Andrea stand wie ein Wächter im Rahmen und wartete angespannt. In ihrem Inneren spielten sich Kämpfe über das Für und Wider ab.
„Kommen Sie, ich geh´ vor.“
Sie bot keinen Platz im Wohnzimmer, sondern in der ärmlich eingerichteten winzigen Küche an. Etwas unsicher hockten beide auf den mit billigem Kunststoff bespannten Küchenstühlen. Heike Blanken trug noch ihren Anorak, weil Andrea, ein kurzes

Gespräch erwartend, nicht im Traum daran dachte, sie zu irgendetwas aufzufordern. Ihr erster Satz, nach einer ausgedehnten Verlegenheitspause, brachte Andrea jedoch total durcheinander.
„Könnte ich, könnte ich eventuell einen Kognak haben?"
Alle möglichen Szenarien hätte sie erwartet, aber nicht die Bitte um Alkohol.
Rasch holte sie zwei Gläser aus der Spüle und schenkte ein. Schweigend stürzten sie das scharfe Getränk hinunter.
„Wollen Sie nicht ablegen? "
Andrea nahm das Kleidungsstück, brachte es in den Flur und setzte sich wieder zu ihr.
„Frau Bruns, mich quält mein Gewissen, vor Ihnen, aber auch vor Ihrer Tochter. Das ist der Grund weshalb ich Sie aufgesucht habe. Nur Sie, Sie allein können mir verzeihen und vielleicht, vielleicht kann ich dann auch wieder ruhiger schlafen."
Andreas Weltbild wankte.
Gegenüber saß die Chefin eines mittelständischen Unternehmens, in der Firma geachtet, aber auch gefürchtet, wie sie von einer dort beschäftigten Bekannten wusste, verlangte Kognak und offenbarte sich ihr mit einem schlechten Gewissen? Unmöglich, das konnte kaum wahr sein.
„Ich möchte nicht unbedingt in der Vergangenheit herumstochern, aber Sie erinnern sich an meinen Besuch vor ungefähr sechzehn Jahren bei Ihrer Mutter. Ein Kind war unterwegs, von Walter, also von Keil. Völlig konfus tauchte er damals im Büro auf und beauftragte mich eine Lösung zu finden. Jahresvertrag und Abfindung, mit denen Sie ruhig gestellt wurden, das waren meine Ideen. Walter wurde ängstlich und unruhig, aber ich war überzeugt, Sie würden zu schwach sein dagegen zu protestieren. Sie können sich nicht vorstellen, wie ich mich dafür schäme."

Mit geschlossenen Augen holte sie tief Luft, offenbar fiel es ihr schwer, den nächsten Satz zu formulieren. „Für alles, was Ihnen

an Leid widerfahren ist, möchte ich mich bei Ihnen entschuldigen."
Sie schien ein wenig in sich zusammenzusinken und wartete ängstlich auf eine Reaktion, aber die Betroffene zeigte keine Regung, weder Wut noch Empörung.
„Ist verjährt, das Ganze", winkte Andrea erschöpft ab, „warum kommen Sie ausgerechnet jetzt damit an."
„Dieses Kind, um das es damals ging, ist….ist…, ja,… gestorben, also… durch Freitod. Bitte noch etwas davon", entschlossen schob sie ihr Glas über den Tisch. Die Gläser wurden schnellstens gefüllt, diesmal prosteten sie sich verhalten zu.
„Marina, irgendwie habe ich auch bei ihr…..versagt. Sie arbeitete als Auszubildende bei uns im Betrieb, woher sollte ich auch ahnen, Walter Keil, ihr Vater…," stammelte sie verwirrt und brach ab.
„Sie kennen das Geheimnis?"
Stumm hob Heike Blanken ihr Glas und Andrea schenkte für beide nach.
„Prost!"
Wie ausgestreutes Salz auf einer Eisschicht taute der Alkohol die anfangs frostige Gesprächsatmosphäre auf. Andreas Anspannung bis hin zu leichten Bauchkrämpfen ließ nach, aber auch die Frau auf der anderen Seite des kleinen Küchentisches schien lockerer zu werden.
„Kurz vor ihrem, ….. ihrem, Selbstmord, bat mich diese Auszubildende, Ihre Marina, um einen Termin. Zu diesem Zeitpunkt war eine fehlerhaft deklarierte Sendung mit Ersatzteilen zu einem Kunden unterwegs, Tausende Euro standen auf dem Spiel. Walter, ich meine, Herr Keil, kümmerte sich immer weniger um den Laden, Problemfälle landeten auf meinem Schreibtisch. Zwischen zwei hastig geführten Telefonaten erzählte sie mir ihre Geschichte, wegen Zeit- und Termindrucks hörte ich nur zerstreut mit halbem Ohr zu. Immerhin überraschte sie mich mit dem Geständnis, dass Walter Keil ihr Vater war. Wer konnte das ahnen, sie war doch

bei uns unter einem anderen Namen aufgetaucht. Meine Nerven an dem bewussten Tag lagen wegen verschiedener anderer Fehler blank. So registrierte ich auch nur im Unterbewusstsein etwas von einem Kind. Mein Interesse in dieser Situation war vielleicht verständlicherweise gering, die Brisanz der Mitteilung habe ich erst lange danach begriffen. Wahrscheinlich fielen mir nicht gerade die höflichsten Formulierungen ein, als ich sie barsch abwies und auf später vertröstete. Kurze Zeit darauf hat sie sich…"

Fast demütig hielt sie ihr Glas hin und Andrea schenkte nach.
„In letzter Zeit habe ich nachts, auch wenn ich todmüde bin und trotzdem nicht einschlafen kann, meine Gedanken nicht mehr unter Kontrolle. Nie vergesse ich ihren bittenden Blick, mit dem sie mich verzweifelt und Hilfe suchend anstarrte. Seitdem peinigt mich mein Gewissen. Warum habe ich das Drama nicht verhindert? Durch eine Stunde Aufmerksamkeit hätte man ihrem Schicksal eine positive Wende geben können. Eine Stunde gegen ein so junges Leben, mit meinen Schuldgefühlen kann ich immer schwerer umgehen."

Andrea musste sich eingestehen, dass diese Frau ihr neue Rätsel aufgab. Wieso kommt eine erfolgreiche Geschäftsfrau hierher um ihr Herz auszuschütten? Ich bin offenbar die Einzige, bei der sie sich ungezwungen und ohne Scheu vor ihrer Rolle aussprechen kann, mutmaßte sie. Und sie hat eine Schuld zu begleichen. Spontan füllte sie die Gläser nach.
„Tagsüber bin ich der knallharte Typ einer Unternehmerin, die sich erfolgreich gegen mächtige Konkurrenz durchsetzt, Aufträge hereinholt, führungsstarke Entscheidungen trifft und nie Zeichen von Erschöpfung erkennen lässt, weil man in dieser Position keine Schwäche zeigen darf. Mitarbeiter muss ich auf Distanz halten, kann keine Person an mich herankommen lassen, so wird man einsam. Aber eine menschliche Seite erwartet auch keiner der Beschäftigten von mir. Mein ganzes bisheriges Dasein drehte

sich um die WAKE GmbH. Hoffnungen auf Familie mit Kindern, die durch das Haus toben und in späteren Jahren dem Leben einen Sinn geben, zerstreuten sich durch Walters Heirat mit einer Anderen. Aussteigen hätte ich sollen, damals, es wäre noch Zeit gewesen. Stattdessen flüchtete ich mich in meinen Job und schob die Arbeit wie ein Schutzschild vor die Lebenswirklichkeit. Mit vierzehnstündiger Schufterei, und das täglich, verdrängte ich eine innere Leere und meine Wut über die Enttäuschung, die Walter, das heißt Keil, durch seine Heirat mir bereitet hatte. - Bitte noch einen! - Prost! "

Sie schien sich auf einmal einen Ruck zu geben und ihr Gesichtsausdruck wirkte konzentriert:
„ Meine Anwesenheit hat einen weiteren Grund. Marina erwähnte, wenn ich mich recht erinnere, ihren Freund vom Jugendhof, Frank war sein Name."
„Stimmt, dann und wann besucht er mich."
„An ihm könnte ich einige Fehlentscheidungen gutmachen. Altersmäßig bewege ich mich auf die Mitte des Lebens zu. Wofür schufte ich eigentlich täglich mehr als zwölf Stunden. Kinder und Familie werde ich auch in der Zukunft keine mehr haben, mein Zug ist gewissermaßen abgefahren. Aber welche Chancen hat dieser Frank denn? Wenn ich helfend in seine Karriere eingreifen könnte, auch mein eigenes Leben würde einen neuen Sinn bekommen."

Heike Blanken blickte ihr Gegenüber forschend an und fragte unsicher : „Was halten Sie von dem Vorschlag?"
Beiden Frauen war in der Zwischenzeit der Alkohol etwas zu Kopf gestiegen, wobei Andrea als leichte Gewohnheitstrinkerin seine Wirkungen wesentlich besser wegstecken konnte als ihr Besuch.
„Ich kann Ihnen nicht ganz folgen, wollen Sie Frank adoptieren oder so?"

„Nein, das nun gerade nicht, aber ein paar Gedanken hab ich mir gemacht. Zuerst sollte er eine Lehre bei uns absolvieren. Man könnte dabei seine Begabung austesten, ehe er sich für eine weiterführende Berufslaufbahn, vielleicht in Form eines Studiums, entscheidet. Meine Unterstützung in jeder Hinsicht hätte er dabei und es wäre bestimmt nicht zu seinem Schaden. Allerdings, ein harter Weg dürfte es werden."
„Ehrlich, hört sich gut an, Mensch, das wäre die Chance für den Jungen, würde ich ihm gönnen." Andrea schloss die Augen und schien nachzudenken. „Leider kann ich doch nichts, absolut nichts für ihn tun", murmelte sie hinter ihren halbgeschlossenen Lidern. Heike Blanken hatte sie aufmerksam beobachtet.
„Jetzt muss er nur noch zustimmen, Ihre Aufgabe, Sie kennen ihn doch, mich würde er vermutlich nicht einmal anhören."
„An mir soll´s nicht liegen."
„Rufen Sie an, wenn er dazu bereit ist, ich würde dann umgehend einiges für ihn arrangieren."

Andrea wurde von dem Ablauf der Dinge überrollt wie ein Surfer von einer Monsterwelle. Zu überraschend eröffneten sich ähnlich einem Lottogewinn ungeahnte Möglichkeiten für den Jungen. Immer mehr fühlte sie sich ihm gegenüber in der Rolle einer Mutter, die für die Zukunft ihres Kindes verantwortlich zeichnet. Nachdenklich sah sie Heike Blanken an, wie sie zerknirscht am Tisch saß. Vor wenigen Minuten hätte sie hasserfüllt am liebsten die Tür zugeschlagen und jetzt offerierte ihr Besuch eine Karriere für Frank, der sonst in dieser Gesellschaft wohl nie eine solche Chance haben würde. Es fiel ihr schwer, diese jähe Wende innerhalb von so kurzer Zeit gefühlsmäßig zu verarbeiten. So plötzlich, wie anfangs eine Woge von Hass durch die Erinnerung in ihr hochgespült wurde, brach das Gebilde wieder zusammen und wurde ersetzt durch eine Empfindung von Sympathie, die sich Andrea in der kurzen Zeit nicht erklären konnte. Ihre Psyche taumelte zwischen zwei Extremen hin und her.

„Ehrlich, ich hätte Sie vorhin fast nicht in die Wohnung gelassen."
„Dann hätte ich ja den ganzen Kognak versäumt. Gibt es in diesem Hause noch einen Abschlusstropfen?"
„Logisch, warum nicht?"
Beide Frauen sagten erneut Prost und lächelten sich zaghaft an.
„Wahrscheinlich habe ich eben zuviel Gefühl gezeigt, aber für mich war es wie eine Befreiung, auch mal über meine menschlichen Probleme reden zu dürfen, ich habe doch sonst keinen, der bereit wäre mir so geduldig zuzuhören. Außerdem kann ich mir das in der Firma einfach nicht leisten. Frauen sind eben doch die besseren Gesprächspartner. " Beide Frauen schwiegen eine Weile, bis die Besucherin in die Stille hinein bat: „Rufen Sie mir bitte eine Taxe, fahren kann ich bestimmt nicht mehr."
Mit den Worten „Vergessen Sie nicht wegen Frank anzurufen", verabschiedete sich wenig später die Geschäftsführerin der WAKE GmbH und ließ Andrea ziemlich verwirrt zurück.

Seit Addy unter Mordverdacht in Untersuchungshaft saß, tauchte Frank fast jeden Tag bei Andrea auf. Durch ihre gemeinsamen Erlebnisse der letzten Wochen bildeten sie eine Art Schicksalsgemeinschaft. Ihr Verhältnis pendelte in einer Mischung zwischen Freundschaft, erotischer Spannung, Mutter-Sohn-Beziehung und dem Gefühl, aufeinander angewiesen zu sein. Überwogen bei Andrea die mütterlichen Empfindungen, versuchte sie schon mal den Jungen zu erziehen. Einwürfe wie „Hast du die Hausaufgaben aus der Schule gemacht? „Die Schuhe müssten geputzt werden!" oder „Dein Haar ist einfach zu lang!" führten bei ihm stets zu einem patzig bockigen Verhalten:
„Ja, ja, ja, ich weiß, das geht so nicht weiter, ich kann so nicht rumlaufen, es ist eine Schande."

Überrascht stellten die Zufallsmutter und der fast angenommene Sohn fest, dass sie hinterher, statt böse aufeinander zu sein, die

Situation entspannt betrachteten. Bei Andrea war es wohl eine Art heimlich unerfüllter Wunsch nach ihrer Mutterrolle, die sie bisher nie spielen durfte. Frank dagegen spürte zum ersten Mal die Wärme eines Menschen, der sich um ihn kümmerte und geriet dadurch in eine Stimmung, die er intensiv genoss.

Zwei Tage nach ihrem Gespräch über seinen zukünftigen Werdegang tauchte Frank überraschend bei Andrea auf und schaufelte hungrig die für solche Fälle bereitliegenden Kuchenstücke in sich hinein. Andrea war etwas aufgeregt, der heutige Nachmittag würde für Franks Zukunft eine entscheidende Rolle spielen. Locker, weil etwas angeheitert, hatte sie Heike Blanken leichtfertig versprochen, Frank davon zu überzeugen, die angebotene Hilfe anzunehmen. In der Zwischenzeit waren ihr arge Bedenken gekommen. Frank, mit der Sturheit eines pubertierenden Sechzehnjährigen versehen, konnte sehr wohl seinen eigenen Kopf durchsetzen. Ob er für Argumente wie Sicherheit und Lebensplanung aufgeschlossen war, würde sich erst noch herausstellen. Bei einem Gedanken geriet sie leicht ins Schwitzen: Was, wenn er sich der einmaligen Chance ohne Wenn und Aber verweigern würde? Auf Grund ihrer Erziehungsversuche wusste sie selbst, was es bedeutete, Jugendliche dieser Altersgruppe mit logischen Argumenten zu überzeugen. Aus diesem Grund sprach sie das Thema sehr behutsam an, stieß aber sofort auf heftigen Widerstand, der in einem Wutausbruch endete. Eine neue Seite von Franks Seelenleben offenbarte sich ihr, so hatte sie ihn noch nicht erlebt.
„Diese ganze beschissene Bande von der WAKE soll mich in Ruhe lassen. In den Selbstmord getrieben haben sie Marina, jetzt wollen die mich mit Geld ködern, bloß damit die sich besser fühlen."
„Frank, nun hör wenigstens einmal zu! Dort sitzt keine ´beschissene Bande´. Frau Blanken, Geschäftsführerin, will uns helfen eine Ausbildung für dich zu organisieren. Ich muss nur anrufen."

Andrea benutzte mit Absicht das Wort „uns“, um eine Art von Gemeinschaftsgefühl zu schaffen.
„Ausgerechnet die Blanken! Addy hätte das Weib gleich mit umbringen sollen. Wer hat denn dem Keil die ganzen Schnitten zugeführt, damit der …“,
„Frank, bitte!“
„Na, ist doch wahr.“
„Glaube mir, dieser Frau ist weiß Gott nichts geschenkt worden. Walter Keil hat auch ihr Leben ruiniert, Ehe und Familie versprochen hat er, bis es für einen Neuanfang zu spät war. Dafür konnte sie als Angestellte schuften und ihre besten Jahre dem Betrieb opfern.“
„Ein Schulkamerad hat da drei Monate als Praktikant hinter sich. Angst haben die alle vor ihr. Diese blöde Tante soll mich mit ihrer sozialen Hilfsscheiße in Ruhe lassen.“
Allmählich verlor sie die Kontrolle über das Gespräch. Verzweifelt unternahm sie den Versuch mit Beispielen gegenzusteuern.
„Ich kenne auch jemanden, der dort arbeitet. Frau Blanken als Chefin sagt den Beschäftigten die Meinung, falls es erforderlich ist, aber sie macht keinen persönlich fertig, wie das bei Keil der Fall war. Angst haben Arbeiter und Angestellte höchstens davor, dass die ihren Job hinschmeißt. Rund zweihundert Arbeitsplätze und damit Familienschicksale hängen von ihrem Einsatz, von ihrer Erfahrung und ihrem Durchsetzungsvermögen ab. Und glaube mir, vierzehn Stunden schuftet die täglich, während andere die Nachmittage mit Fernsehserien oder Computerspielen sinnlos vergeuden. Sie ist wohl zurzeit die einzige Person, der man zutraut den Laden durch alle Krisen zu steuern.
Also, soll ich anrufen?“
„Neiiiin! Lass mich mit deiner blöden Anruferei in Frieden.“
Bisher hatte Andrea versucht, diesen renitenten Jüngling sanft und fast bittend zu einer geordneten Lebensplanung zu überreden. Jetzt aber kroch stetig anschwellend Groll in ihr hoch. Aufgebracht durch seine penetrante Verweigerungshaltung

bekam ihre Stimme einen schärferen Klang. „Addy hat den Keil umgebracht, weil er deine Freundin rächen wollte, deine! Für dich hat er es auch getan. Wer soll sich um den Ärmsten kümmern? In einigen Jahren wird er aus der Haft entlassen? Du bist der Einzige, den er kennt. Kannst du dann als Hartz IV Empfänger helfen?"

„Wieso? Du lebst doch auch ganz gut damit.
Sozialhilfe, Gelegenheitsjobs und Saufen."

Andreas Mund blieb halboffen stehen, kein Muskel regte sich in ihrem Gesicht. Mit großen Augen starrte sie entgeistert ins Leere. Über ihre Wangen perlten zwei Tränen. Jäh wurde Frank klar, wie er sie verletzt haben musste.

„Andrea, es tut mit leid, so hab´ ich´s nicht gemeint. Bitte, bitte, nicht böse werden, du hast mich immer gut behandelt, hier bei dir fühle ich mich wohl, sag, dass du mir nichts übel nimmst."

Mehrmals hintereinander schluckte sie betreten, ehe sie mit der Hand abwinkte.

„Hast ja Recht, weit hab´ ich´s nicht gebracht, meine Vergangenheit ist keine Erfolgsgeschichte. Ruiniert, mein Leben, das ist die Wirklichkeit. Manchmal denke ich, wir vier, Marina, Addy, du und ich, gehören zusammen. Addy wird für lange Zeit im Gefängnis landen, Marina ist mit dem Schicksal nicht fertig geworden, ich bin ganz nach unten gerutscht. Du bist der Einzige von uns Verlierern, der zum Gewinner werden könnte. Für uns solltest du das Angebot annehmen und beweisen, dass es wenigstens einer von uns geschafft hat. Denk an Marina, was würde sie dir raten?"

Schlagartig wurde ihre Stimme, die sanft und eindringlich gesprochen hatte, wieder schriller.

„Wenn du es schaffen könntest, aus unserem Sumpf herauszukommen, dann hätte Marinas Sterben, hätte der Tod meiner Tochter wenigstens einen Sinn gehabt!" schrie sie völlig verzweifelt heraus.

Bei erneuter Nennung ihres Namens schloss Frank die Augen. Es war, als würde sich eine Nebelwand vor ihm auftun. Aus dem grauen Schleier tauchten immer deutlicher Konturen eines Gesichts auf. Lange Haare flatterten im Wind und zwei blaue Augen blickten ihn strahlend an. Wie immer, wenn Marina nachdachte, wickelte sie eine Haarsträhne spielerisch um ihren linken Zeigefinger. Mit der anderen Hand rückte sie verlegen den Bügel ihrer Brille zurecht. Ihr Antlitz bewegte sich, als sie heftig mit dem Kopf nickte und durch diese Geste Zustimmung signalisierte.

Trotz krampfhafter Versuche, das Bild zu halten, verschwammen die Umrisse , langsam schwächer werdend wie ein verblassender Regenbogen, in dem grauen Nichts.
Erschreckt öffnete Frank die Augen und starrte minutenlang stumm und mit leerem Blick auf die Tischplatte.

„Ruf an!“ sagte er schließlich mit leiser, aber doch entschlossener Stimme.

E-Mail: Tagetesdoerr@web.de

Internet: **www. PeterDoerrZeven.de**

Studiendirektor i.R.
im Nieders. Schuldienst

geb. 1940 in Chemnitz
verheiratet, 3 Kinder

Nach einer Lehre und dem Studium der Ingenieurwissenschaften in Aachen arbeitete er mit seiner Frau zwei Jahre lang an einem Projekt im Auftrag des Deutschen Entwicklungsdienstes DED in Kathmandu/Nepal. In Hamburg und Hannover studierte er anschließend Berufspädagogik und trat in den Niedersächsischen Schuldienst ein. Dort unterrichtete er bis zu seiner Pensionierung im Jahre 2005 an einem Zentrum für berufliche Bildung in Zeven.

Nach Veröffentlichungen in verschiedenen Zeitschriften, u.a. auch ein Hörspiel über seine Entwicklungshelfertätigkeit in Nepal, erschien 2009 sein Erstlingskrimi:

Die Schulkatakombe

ISBN 978-3-8521-817-6 im Verlag novum eco.

Peter Dörr lebt mit seiner Ehefrau Brigitte, die seine Texte mitgestaltet und lektoriert, in der über tausend Jahre alten Stadt Zeven im Elbe-Weser-Dreieck.

Handlungen und Personen dieses Krimis sind frei erfunden. Etwaige Ähnlichkeiten mit lebenden oder toten Personen wären rein zufällig und nicht beabsichtigt.

Der Autor **Peter Dörr**

Fax: 04281/958719

Marinas tödlicher Schatten

Die sechzehnjährige Marina, Auszubildende in der Firma WAKE GmbH, hat Selbstmord begangen. Ihr Freund Frank, die erste große Liebe in ihrem jungen Leben, ist völlig verzweifelt. Der Freitod bleibt für ihn ein Mysterium. Warum hat sie das sich und ihm angetan?
Auch Franks bester Freund Addy, bärenstark, aber geistig leicht zurückgeblieben, ist über das Ableben des jungen Mädchens erschüttert.

Kurze Zeit später wird Walter Keil, autoritärer Chef des Betriebes, in dem Marina als Auszubildende beschäftigt war, auf dem Gelände seiner Firma tot aufgefunden – verblutet an einer klaffenden Kopfwunde.

Für die Ermittlungsgruppe EP 8, die unter ihrem Leiter Dr. Schubert schon den Fall *Schulkatakombe* in dem kleinen Städtchen Nehberg in der Mitte des Elbe -Weser -Dreiecks aufgeklärt hatte, ergeben sich kaum schlüssige Anhaltspunkte.

Gibt es einen Zusammenhang? Besteht gar eine Verbindung zu einem länger zurückliegenden Todesfall in einem unheimlichen Keller unter der Scheune von Franks Jugendeinrichtung?

Frank, der an der Trauerfeier teilnimmt, erfährt von Marinas Mutter ein fürchterliches Geheimnis. Eine verheerende Entwicklung nimmt ihren Lauf.

Buchbestellungen an: br.doerr@yahoo.de